V comme

Armand Gatti

V comme Vietnam

Éditions du Seuil

Personnages

Quadrature
Mégasheriff
Théorème
Docteur XXX
Général Bulldog
Amiral Pointu
Aumônier Général
   La Congrégation
Stanley
Sophie
Dave Crips
Ambassadeur Ventriloque
Jerry
Jimmy
Soldat de Danang
Weill
Général Ilikike
Peper
Mégasheriff 2
Mégasheriff 3
Mégasheriff 4
Mégasheriff 5

Mlle Kit, Secrétaire 1
Secrétaire 2
Secrétaire 3
Secrétaire 4
Richard III
Henry V
Lear
Macbeth
3 Servants de « La Châtaigne »

Nguyen Hun Tang, paysan
Phuong Coï, fabricant de meules
Dao Thi Ly, boutiquière
Tran Van Luyen, instituteur
Ngo Van Thu, clandestin
Huynh Dinh, réparateur de vélos
Hoa, sampanière

Un tiret marque une rupture de pensée ; un changement de vitesse vers l'extériorisation ; un crochet marque un changement de vitesse vers l'intériorisation. C'est en quelque sorte une écriture à trois tons où les différentes hauteurs ne sont pas données une fois pour toutes mais s'établissent continuellement les unes par rapport aux autres.

ARMAND GATTI
Préface au *Théâtre* ***, 1962.

1

Le Pentagone. Une machine électronique centrale, la
« Châtaigne » où se trouve encastré l'écran n° 3. Un
grand cyclorama l'entoure fait de cartes lumineuses dans
lesquelles s'encastrent les écrans n°s 1, 2, 4 et 5. Côté jar-
din, un praticable sur lequel se trouve la carte du Vietnam.
Ce praticable qui sert de carte pour les démonstrations du
Pentagone, devient selon les moments un lieu privilégié
permettant de situer certaines scènes qui se passent au
Vietnam. Près du praticable, un téléscripteur. Côté cour,
un bureau portant le chiffre 3 E 880, entouré de différents
appareils électroniques. C'est l'endroit où travaille Qua-
drature le secrétaire d'État à la Défense U. S. Derrière
lui, son second, Théorème dit « Théo » attend. Le Dr XXX,
chef des services psychologiques entre accompagné de
Franck S. Weil Junior. Les noms employés sont des
pseudonymes en cours au Pentagone.

WEIL Jr : Franck S. Weil Junior du New York Star.

Dr XXX : Docteur XXX chef des services psychologiques
soyez le bienvenu au Pentagone.

QUADRATURE : Franckie! – merci d'être venu. – Il y a longtemps que je n'ai pas eu le plaisir de te serrer la main.

WEIL Jr : [Depuis le collège.]

QUADRATURE : Tu reviens de Saigon?

WEIL Jr : Une ville astronaute – dans l'apesanteur.

QUADRATURE : Journalistes et Pentagone, nous ne sommes
pas souvent d'accord.

WEIL Jr : Parfois [je regrette].

THÉO : Les disputes, [entre nous] ça sert de rouge à lèvres à cette sacrée vamp de démocratie [lorsqu'elle veut sourire].

Ils rient.

QUADRATURE : Nous t'avons convoqué pour te poser un certain nombre de questions sur les articles que tu as fait paraître dans le Star. Les chefs de service du Pentagone étant ce qu'ils sont, ne t'étonne pas si à un certain moment je t'attaque.

WEIL Jr : Personnellement?

THÉO : Vous serez visé [mais avec un fusil à tirer dans les coins], le plomb sera pour les autres.

Weil Jr interroge du regard Quadrature qui répond aussitôt.

QUADRATURE : Je ne vous ai pas présentés – Théo, mon second [et mon remplaçant lorsque je voyage].

THÉO : Comment allez-vous?

WEIL Jr : J'aurais préféré que tes projectiles soient pour moi.

QUADRATURE : Nous sommes en guerre. – Tu en auras. Il y a des projectiles pour tout le monde – surtout pour les civils [c'est toi qui l'as écrit].

QUADRATURE : Mademoiselle Kit – appelez les chefs de service du Pentagone.

Viennent des centres, cinq rangées de téléviseurs qui s'étagent en dégradé, à partir du haut de la scène. Lorsque les écrans s'allument apparaissent en gros plans toutes les têtes responsables du Pentagone. En pied, derrière le praticable prendront place, l'amiral Pointu, le général des marines Bulldog, l'aumônier général, Père la Congrégation et l'ambassadeur Ventriloque. Pendant que s'effectue la manœuvre, la discussion continue entre Weil Junior et Quadrature.

Théo s'adresse aux responsables du Pentagone.

THÉO : F. S. Weil Junior, du New York Star, a accepté de venir discuter avec nous. J'espère que vous serez aussi francs avec lui qu'il l'a été avec nous dans ses articles.

Grand éclat de rire. A tour de rôle, les officiers vont poser des questions.

BULLDOG : Quelle est [selon vous] la raison pour laquelle les instructeurs U. S. ne parviennent pas à redresser la situation dans le Vietnam Sud?

WEIL JR : [Sur le plan militaire] les Sud-Vietnamiens me paraissent être des soldats très quelconques.

THÉO : Pourquoi ces mêmes Sud-Vietnamiens, lorsqu'ils deviennent Vietcongs se battent-ils si bien, [avec la plupart du temps, un armement et un ravitaillement dérisoires]? — Vous êtes-vous posé la question?

WEIL JR : Il y a beaucoup de questions qui restent sans réponse au Vietnam [surtout lorsqu'elles sont posées de manière à ne pas recevoir de réponse].

LA CONGRÉGATION : Pouvez-vous tolérer que nous soyons des tigres en papier?

WEIL JR : Non.

LA CONGRÉGATION : Pourquoi?

WEIL JR : Cela ne correspond pas à la réalité.

LA CONGRÉGATION : Merci.

OFFICIER : Monsieur le Secrétaire.

QUADRATURE : Je vous écoute.

OFFICIER : Les porte-avions Ranger et Saratoga sont équipés d'un AN/APD 7 n'est-ce pas?

AMIRAL POINTU : Ils le sont.

OFFICIER : Donc ils peuvent recevoir à bord les photos radar retransmises par les antennes des avions « Vigilante » [toujours en vol]. Ce qui nous permet d'épier n'importe quel territoire – même par les nuits les plus noires. – Comment se fait-il que nous ne soyons pas plus renseignés sur ce qui se passe?

QUADRATURE : Il vous sera répondu en temps utile. Notre réunion est purement informative. Elle se borne à recevoir les impressions d'un témoin qui a passé plus d'un an au Vietnam – et à discuter avec lui.

THÉO : Weil Junior. – Vous avez participé à la bataille qui a permis l'installation de la base de Kien Cuong. Pouvez-vous nous dire l'enseignement que vous en avez tiré?

WEIL Jr : J'ai été amené avec les troupes par hélicoptère blindé [muni de quatre canons de trente et seize fusées]. Nous avons pris pied dans la bataille dès l'atterrissage. La puissance de feu répandue m'a rappelé celle des derniers jours du « Crève-Cœur » en Corée. Les chasseurs sud-vietnamiens tiraient sans discontinuer en traversant la rizière. – Entre eux et les Rangers [qui devaient déborder sur le flanc], il y avait un paysan et un buffle pour qui rien de ce que nous étions en train de vivre n'existait. – La bataille faisait rage tout autour. On ne savait plus d'où venaient les balles. – Au-dessus de lui les hélicoptères lançaient des fusées incendiaires. Derrière lui, les avions mitraillaient. A travers la rizière, les chasseurs se dirigeaient sur lui. Il continuait son travail.

Sur le praticable, apparaissent cachés sous les branchages, Nguyen Huu Tang, paysan, responsable de la guérilla sur le plan de Kai Hoa et fournisseur de vivres aux clandestins, Phuong Coï, le constructeur de moulins à paddy et la jeune Dao Thi Ly qui tient la petite boutique du village. De leur cachette ils regardent Huynh-Dinh, le réparateur de bicyclettes, en train de s'échiner, à la cour, derrière son buffle.

LY : Il est fou.

PHUONG : Et en plus, il a pris le buffle communautaire. [Une bonne bête, increvable au travail.]

TANG : Peut-être qu'il le sauvera [un malin, l'oncle Dinh!]. Même s'il n'est venu au village que depuis le départ des Français, il n'est pas fou. [Ça lui évitera l'interrogatoire] lorsque les fantoches seront dans Kien Cuong. Sinon, avec son accent du Nord, il se ferait étendre tout de suite comme Vietcong.

PHUONG : Attention! ils viennent par ici.

Retour au Pentagone.

WEIL Jr : Sans nous voir, sans regarder en l'air, l'homme et le buffle continuaient à arpenter la rizière. – Lorsque le village a brûlé – ils continuaient encore.

Dr XXX : Ont-ils été tués?

WEIL Jr : Je ne pense pas.

BULLDOG : N'avez-vous pas essayé de savoir s'ils étaient Vietcongs ?

WEIL Jr : Je pense que votre formule [dix paysans tués pour un Vietcong mort] est juste. Néanmoins, je serais heureux d'apprendre que l'homme et sa bête sont toujours en vie.

BULLDOG : Êtes-vous sûr que dans vos reportages vous n'avez pas vu la guerre comme ce paysan? [sans très bien comprendre ce qui se passait autour].

QUADRATURE : Je rappelle que ce n'est pas une guerre comme les autres – et que [néanmoins] nous faisons comme les autres.

THÉO : Une part de la confusion qui prévaut dans l'esprit de nombreuses personnes [et même de nombreux gouvernements] découle de cette incompréhension.

WEIL Jr : Je...

Il est interrompu.

POINTU : Nos cerveaux électroniques n'ont-ils point calculé [pour 1965] que chaque Vietcong tué nous coûte 500 000 dollars. Or le même homme aurait tout au plus produit 9 000 dollars en trente ans de travail, [c'est-à-dire sa vie entière].

WEIL Jr : Je voudrais dire...

POINTU : Dans ces conditions, un Vietnamien mort vaut cinquante-cinq fois la valeur de ce qu'il peut produire durant toute une vie. En conséquence une mort égale [au stade actuel] cinquante-cinq vivants.

WEIL Jr : Pourrais-je parler?

THÉO : [Naturellement.]

BULLDOG : Ils ont donc intérêt à se battre pour que la mort ait plus de valeur que la vie.

LA CONGRÉGATION : Et c'est nous qui payons.

OFFICIER : C'est nous.

WEIL Jr : [Puis-je dire...].

THÉO : Comment ne comprenez-vous pas qu'il ne s'agit plus d'une guerre comme les autres?

WEIL Jr : Je répondrais...

BULLDOG : Si nous faisons de chaque paysan un Vietcong, le prix de revient de chaque mort sera de 365 111 dollars, [ce qui à tout prendre est une économie].

WEIL Jr : Pouvez-vous ajouter à cette économie, celle de ma présence?

Excédé, le journaliste quitte la séance.

QUADRATURE : Merci Franckie – à bientôt!

Quadrature se lève pour lui serrer la main. Weil Jr sort accompagné du Dr XXX. Quadrature reste debout pour parler aux officiers.

QUADRATURE : Tout cela veut dire qu'il faut entièrement réviser notre façon de voir la guerre. Habituellement les hommes rêvent d'entrer dans l'Histoire. Nous, – nous allons en sortir. Si nous adaptons notre stratégie à l'ère des fusées [et nous pouvons le faire] nous entrons dans un système de synthèse qui ne nous soumettra plus aux lois de l'histoire mais à celles d'une géo-histoire globale que nous nommerons l'hyperhistoire. Le Vietnam ne sera plus une guerre mais un problème. Nous ne chercherons pas à pacifier mais à frapper. Nous ne chercherons plus à occuper du terrain mais à le rendre disponible. Nous ne chercherons pas la victoire mais la solution d'un problème. Pour cela, il doit être exclu que nos sous-marins nucléaires porteurs de fusées Polaris qui couvrent le continent asiatique sur 4 000 kilomètres de profondeur soient arrêtés par l'arbalète à dix flèches dont le tir est atteint de strabisme. Une manœuvre [test] se déroulera en Californie. – Son nom « Lance d'Argent » sera la préface à notre entrée dans l'hyperhistoire.

BULLDOG : En tant que commandant des marines [je désirerais] poser un préalable.

QUADRATURE : [Général Bulldog], si vous réfléchissez quelques instants, vous vous apercevrez que vous ne désirez rien poser. Pour les marines – pacifier c'est se mêler aux gens, leur apporter nos bienfaits de la main à la main [donc prendre part à leur réalité] et en conséquence, établir des contacts sentimentaux. Établir ce genre de contacts c'est se laisser prendre par le mécanisme de la guerre révolutionnaire.

POINTU : Permettez-moi [quoique situé à Hawaii] d'émettre quelques réserves.

QUADRATURE : Non! Amiral Pointu.

POINTU : Et pourquoi?

QUADRATURE : C'est « Lance d'Argent », [la répétition générale avant le débarquement massif au Vietnam] qui les émettra – s'il y a lieu de les émettre.

Il fait un signe à Théo qui explique.

13

THÉO : La répétition se fera par escalade sur trois pays – codés Lancelot pour le Sud-Vietnam [et situé en Basse Californie], Merlin pour le Nord-Vietnam [s'étendra jusqu'à Las Vegas avec San Fransisco comme centre], Modred pour la Chine [ira jusqu'à la frontière canadienne]. L'opération se fera en deux temps. [Le premier] parachutage des troupes sur les zones côtières, avec mission d'assouplir le terrain. [Le second] débarquement massif et établissement de bases côtières. Pour que ces manœuvres correspondent à la réalité, il nous faut une subversion. [Pour cela un commando sera désigné.] A la tête de cette subversion un chef responsable.

BULLDOG : Je propose le lieutenant-colonel Lawrence [Japon, Philippines, Corée, Congo, Liban, Saint-Domingue, Vietnam].

QUADRATURE : Ma réponse est non! [Sous réserve que je vérifie la dérivation de la fonction « non ».]

THÉO : La machine électronique a désigné entre autres Dave Crips, un ancien capitaine de marines. [Il a servi sous vos ordres, Général Bulldog.]

QUADRATURE : Mais aujourd'hui, il est avocat [à Los Angeles]. – Je veux des penseurs et non des gladiateurs.

   Protestations.

QUADRATURE : En tant que vainqueur des maquis des Philippines – c'est vous [général Bulldog] qui le mettrez en fonction. – Il sera secondé par un G. I. de la cavalerie aéroportée [Stanley Ross] et d'une responsable de nos services de Santé [Sophie Cunningham].

LA CONGRÉGATION : Qu'y a-t-il de prévu sur le plan de l'aumônerie générale?

THÉO : Chaque service sera informé [dans le détail] du rôle qui lui est attribué.

2

Dans les locaux des services psychologiques, le Dr XXX reçoit le G. I. Stanley Ross et Sophie Cunningham.

DR XXX : Vous c'est Sophie Cunningham [des services de Santé] et vous Stanley Ross [de la cavalerie aéroportée]. Bien! – Vous avez été choisis comme à la loterie, mais n'oubliez pas que la loterie devient toujours une forme de pensée. Tout d'abord, qu'est-ce que le Vietnam dont vous serez les ressortissants tout au long de la manœuvre « Lance d'Argent »?
Une somme de villages tous plus ou moins semblables.
Qu'est-ce qu'un village vietnamien? Une somme de maisons toutes plus ou moins semblables.
La maison c'est l'unité à partir de laquelle vous allez pouvoir reconstituer le tout. Pourquoi?
Parce que la maison abrite la famille qui est le noyau du phénomène social vietnamien. Prenons le village de Kien Cuong que nous venons de convertir en hameau stratégique [pour qu'il serve de bouclier à notre nouvelle base de bombardiers nucléaires]. Comment, avant notre venue, une maison y naissait?

Sur le praticable, en mime oriental, c'est-à-dire un mime renforcé par des objets quotidiens, le paysan Nguyen Huu Tang, le constructeur de moulins à paddy Phuong Coï, la vendeuse de bois Dao Thi Ly, l'instituteur Tran Van Luyen, le clandestin Ngo Van Thu, le réparateur de bicyclettes Huynh Dinh, la sampanière Giang Nam Hoa, participent à la construction d'une des maisons de Kien Cuong. Leur jeu suivra en parallèle les indications du chef des services psychologiques.

DR XXX : Tout d'abord le chef de la famille dresse un autel avec bougies, encens, riz cuit, en l'honneur des esprits du

sol, et faisant les salutations d'usage, il leur demande le permis de construire à cet endroit. Puis il trace un rectangle sur le sol. A ce rectangle [la richesse se mesure à sa grandeur] vont s'ajouter un grenier et une étable. Lorsque le toit en latanier est posé, l'autel est enlevé et la famille s'installe. Devant la maison, une aire où les femmes mettent le paddy à sécher [et écorcent les noix de coco] qui servent de combustible. A cela il faut ajouter des socles chinois [où l'on fait pousser des fleurs], un potager dont les vieillards et les enfants s'occupent [et une mare permettant la pisciculture]. Qui habite ces maisons ? Tout d'abord le paysan.
Qu'est-ce qu'un paysan vietnamien ?

Au centre de la maison construite Nguyen Huu Tang va s'asseoir. Il se présente à la manière des acteurs dans le théâtre vietnamien, avant de se lancer dans l'action.

TANG : Je suis le paysan Nguyen Huu Tang, du village de Kien Cuong, district de Truong Ky.
Avant la conversion de Kien Cuong en hameau stratégique, je fournissais du ravitaillement aux hommes poursuivis par Diem. Pourquoi ? Parce que du temps du Vietminh on a ramené le taux de fermage à 25 % de la récolte réelle. On a aboli la dette usuraire. On a exproprié les terres laissées en friche appartenant aux collaborateurs. Nous avons considéré ce qu'on nous avait donné comme étant nôtre. Mais la réforme agraire américaine l'a redonné à l'ancien propriétaire, je me suis senti victime et j'ai aidé ceux qui l'étaient. Depuis on nous a demandé de quitter nos terres pour nous couper de la guérilla. Nous avons refusé. Le village a été bombardé et mis derrière les barbelés. Nos terres ont été passées au bulldozer et sont devenues la base de Kien Cuong. La nuit, nous sommes enfermés, le jour [en liberté surveillée]. Alors j'ai pris contact avec Ngo Van Thu, un homme du village devenu clandestin, et j'ai décidé de créer un mouvement à l'intérieur de nos barbelés en rapport avec ceux qui se battent à l'échelle du district.

DR XXX : Le paysan croit que sa destinée est menée par une étoile [ses forces vitales sont fonction du rapport de cette

16

étoile avec le reste de l'univers.] Il y a ensuite les commerçants. Le centre de tous les cancans du village c'est le petit magasin où l'on vend des boissons non alcoolisées, des poissons secs, des gâteaux et des cahiers d'école. C'est le lieu de rencontre des femmes.

Dao Thi Ly remplace Tang au centre de la maison.

LY : Je suis Dao Thi Ly, du village de Kai Hoa, district de Truong Ky. Mes parents ont été brûlés par les gaz toxiques lors de l'attaque de Kai Hoa. Je suis allée à Truong Ky et j'ai demandé une indemnité aux autorités. [Je l'ai obtenue grâce au médecin allemand qui soignait mes parents.] En même temps mes parents ont été emmenés par des policiers et je ne sais plus ce qu'ils sont devenus. J'ai rejoint mon frère à Kien Cuong. Grâce à l'indemnité nous avons repris la boutique de Sixième grand-mère avec qui je vis actuellement. Mon frère est parti dans le maquis la veille de l'attaque de Kien Cuong. Sixième grand-mère est très vieille, c'est moi qui m'occupe de ses canards.

Dr XXX : Au centre du village nous trouvons le coiffeur-tailleur, il a récupéré une partie de son prestige qui revenait autrefois au constructeur de moulins à paddy aujourd'hui en voie de disparition.

Au centre de la maison, Phuong a maintenant succédé à Ly.

PHUONG : [Ce n'est pas encore demain, le jour.] Je suis Phuong Coï. Je n'ai plus que mon fils. Notre maison est derrière le temple depuis plus d'un siècle. Elle y est toujours mais mon fils n'est pas là. Depuis plus de vingt ans, la vie n'est pas drôle tous les jours. – Avant – personne ne connaissait mieux que moi les rizières et les champs de ce pays [leurs bulldozers m'ont enlevé mon savoir]. C'est le service militaire qui m'a raflé mon fils. Lorsque Hoa la sampanière nous a appris qu'il était à Saigon, avec deux étoiles sur la casquette – plus personne ne m'a salué. Alors je suis allé voir Tang, et je lui ai dit – « Pham n'est pas là pour l'instant, c'est son père qui le remplace. » Quelque chose me dit qu'il apprend

17

les secrets des Américains pour qu'un jour nous puissions nous en servir. En attendant, le pamplemoussier que j'avais planté le jour de sa naissance, je ne l'arrose plus. [Pham reviendra pour éviter qu'il meure – c'est sûr.] Et puis [même si pour l'instant j'ai plus d'ardeur que tous les jeunes de Kien Cuong réunis] il sait que je suis vieux.

STANLEY : Y a-t-il des Vietcongs dans ces villages?

SOPHIE : Dans le cadre de l'opération « Lance d'Argent » – ce sont eux qui nous intéressent le plus.

DR XXX : C'est difficile à dire.

Au centre de la maison, Ngo Van Thu est allé prendre place aux côtés de Phuong.

THU : Je suis Ngo Van Thu, [Vietminh de la première résistance]. Ma femme et mon fils ont été tués [ici même] devant le temple. Depuis j'ai milité à l'échelle du district et je me suis vengé. J'ai été rétrogradé mais je ne le regrette pas.

DR XXX : En général, nous pouvons affirmer que dans un hameau stratégique il n'y a aucun Vietcong.

PHOÏ : Planque-toi, Thu, je sens le danger dans l'air que je respire, [je t'expliquerai après], suis-moi.

SOPHIE : Et l'instituteur. [Tout d'abord, y en a-t-il?]

DR XXX : Toujours suspects. Certains sont d'anciens étudiants en rupture de quelque chose. Abandonner Saigon pour s'enterrer dans la campagne [où règne l'insécurité] n'est pas normal.

Tran Van Luyen a pris la place laissée vacante par ses deux compatriotes.

TRAN : Je suis Tran Van Luyen de Saigon. Je suis instituteur et je n'ai rien à dire.

DR XXX : Venons-en au Vietcong proprement dit. Avant toute discussion il va falloir vous initier à la littérature subversive. – J'ai fait pour vous un premier choix.

3

A Los Angeles. Chez l'avocat Dave Crips, dans son cabinet de travail. Bulldog est assis en face de lui. Dave lui sert à boire.

BULLDOG : C'est archi-secret.

DAVE : Est-ce à l'avocat que vous parlez?

BULLDOG : Pas à l'avocat [Dave]. A l'officier que vous avez été sous mes ordres. [Cela peut encore tout sauver.] C'est ce qui me vaut d'être ici à Los Angeles.

DAVE : Est-ce si grave?

BULLDOG : Plus que cela. – Un marine n'a plus le droit de gagner une guerre, [il doit servir à résoudre un problème].

DAVE : Question de mots.

BULLDOG : [Comment] question de mots? Savez-vous que je suis en passe de ne plus être le général Bulldog, [de ne même plus être un matricule] et de devenir le 11º latitude Nord et 124º longitude Est. Ça vous étonne [non?].

DAVE : Vous avez toujours été capable des plus grands exploits.

BULLDOG : Alors vous allez me comprendre.
Premièrement, je n'ai jamais eu une tête à plaisanter.
Deuxièmement, le Pentagone est devenu un seul homme.
Troisièmement, il a la certitude de pouvoir projeter nos forces par-delà les deux océans qui nous bordent, de les faire prendre pied en quelques heures en n'importe quel endroit, de les maintenir et de les ravitailler.
[Quatrièmement, c'est avantageux] :

grand A. – Psychologiquement nous nous libérons du besoin d'être aimé à l'étranger.

grand B. – Nous n'avons plus le besoin impérieux de forcer l'alliance de l'un ou de l'autre.

grand C. – Nous établissons une stratégie mondiale qui correspond à l'ère des fusées.

Jusque-là c'est parfait, mais là où ce n'est plus parfait c'est que – premièrement – votre whisky est de médiocre qualité [les affaires marcheraient-elles mal?].

DAVE : Je vaux deux mille cinq cents dollars par semaine.

BULLDOG : C'est pour les maintenir intacts que vous m'offrez ce liquide?

DAVE : Toujours aussi aimable.

BULLDOG : Ce n'est pas pour être aimable, c'est pour reconquérir mon nom Bull Dog, [il m'a toujours plu]. La vérité c'est que professionnellement je préfère l'alcool de riz. On ne peut pas comprendre Giap ou Mao sans boire un arrache-tripe qui a été pensé par un cerveau bridé. C'est ma formule. Malheureusement cette formule a reçu son ticket de vieillesse du Pentagone et il ne lui reste plus que la soupe populaire pour s'y faire les dents. Ce qui est une imbécillité. Vous m'avez vu agir contre la guérilla des Philippines. Aujourd'hui il y a encore des arbres aux Philippines mais il n'y a plus un seul terroriste.

4

Stanley et Sophie boivent du thé, lisent les brochures subversives et essayent d'imaginer leur rôle.

STANLEY : Ferme les yeux. – Est-ce que tu te vois [cachée au fond de la rizière] avec un bambou dans la bouche pour respirer?

SOPHIE : Non! mais il faut trouver le moyen pour que ce soit vrai. – Ferme les yeux, [tu es un cuisinier vietcong.] Tu vas chercher la nourriture. Tu te mets une lampe sur la tête la nuit venue et tu vas essayer d'éblouir les animaux pour les capturer.

STANLEY : [En Californie] sur quels animaux de la forêt veux-tu que j'aille braquer la lampe? Ceux du boucher? Ou ceux du charcutier? Si je me promène avec cet œil unique au-dessus de la tête, on m'arrêtera tout de suite comme obsédé sexuel.

SOPHIE : Tu as là toutes ces brochures subversives et tu ne peux pas transposer?

STANLEY : Elles parlent de répression, d'expropriation de hameaux stratégiques, de napalm, d'enterrés vifs. Ce qu'ils font [là-bas] n'est pas démuni de sens. – Ou bien ils tirent les premiers ou bien ils se font descendre.

SOPHIE : Si tu continues [tu vas finir] devant le Comité des activités antiaméricaines.

STANLEY : C'est toi qui as proposé de jouer le jeu à fond.

SOPHIE : On va recommencer. – Ferme les yeux.

STANLEY : Non cette fois je les garde ouverts.

21

SOPHIE : Tu arrives à imaginer quelque chose?

STANLEY : Oui! je vois un homme et une femme.

> *Sur le praticable Huynh Dinh répare une bicyclette.*
> *Devant la boutique, passe Giang Nam Hoa la sampa-*
> *nière.*

DINH : Tante Hoa! Ils vous laissent circuler avec votre sampan?

HOA : J'ai obtenu le laissez-passer. Pour aller de Kien Cuong à Truong Ky, j'ai cinq contrôles [deux du Front, trois du gouvernement]. Cette guerre, c'est la fin du commerce ambulant.

DINH : Vous ne m'apportez pas souvent des lettres de ma fille.

HOA : J'apporte ce que la poste me donne.

DINH : Toutes les nouvelles qui transpirent de la forteresse de Poulo Condor sont effroyables.

HOA : Aujourd'hui, [ça donne une face] d'avoir quelqu'un en prison.

DINH : [Peut-être] mais ma fille c'est tout ce que je possède.

HOA : Je comprends.

DINH : En plus je suis sans nouvelles depuis deux ans.

HOA : Vous avez une pipe toute neuve.

DINH : En métal d'hélicoptère abattu [l'oncle Dinh sait vivre avec son temps]. Vous allez à Truong Ky? Vous en profiterez pour m'expédier un paquet.

HOA : Encore? [Vous allez vous attirer des ennuis.]

DINH : De quoi parlez-vous?

HOA : De vos paquets. – Ils n'arrivent jamais. – Vous perdez votre temps [c'est Lu, la postière qui me l'a dit].

DINH : Lu la postière sait ce qu'il y a dans sa tête, mais elle ignore ce qu'il y a dans celle des autres.

Il lui donne un crayon et un paquet.

DINH : Tenez, écrivez l'adresse.

Hoa obéit.

DINH : Monsieur la Quadrature – Secrétaire d'État à la Défense – Pentagone – Washington – Amérique.

Noir sur le praticable.

SOPHIE : Alors? Cet homme et cette femme, qu'est-ce qu'ils font?

STANLEY : L'amour.

Il essaye de la serrer contre lui.

5

Los Angeles – chez l'avocat. La discussion entre le général Bulldog et Dave Crips continue.

DAVE : La Châtaigne c'est quoi?

BULLDOG : La superbanque de la mémoire du monde. Un engin électronique qui vous lit deux cent mille journaux et documents par mois – et qui en cinq secondes de montre-bracelet, fournit sans hésiter l'une des quarante-cinq millions de données qu'elle a englouties.

DAVE : Et comment m'a-t-elle désigné?

BULLDOG : Ça ne m'intéresse pas – [Je continue]. Quarante-troisièmement : – des villages vietnamiens ont été construits près d'ici en Californie [je m'en suis occupé]. Des poules et des cochons noirs y sont déjà lâchés. Des spécialistes entretiennent des fosses [à odeurs naturelles] caractéristiques de l'Asie.

DAVE : Que dois-je faire exactement?

BULLDOG : Ça se subdivise. – Pour le secrétaire à la Défense – vous commanderez des hommes et des femmes qui deviendront des Vietcongs pendant toute la durée de la manœuvre. Pour moi – vous devez les commander dix fois plus efficacement que les instructions qui vous seront données. Il faut que sur le terrain soit remise en question la théorie du secrétaire qui veut donner aux divisions aéromobiles la primauté qu'ont toujours détenue les marines. Vous serez, vous, habillés de noir et je tiens à votre disposition mes dossiers sur la guerre subversive.

DAVE : Et ma clientèle?

BULLDOG : [Ce n'est pas prévu dans ma discussion.] En résumé, cette opération est capitale. C'est d'après elle que la théorie militaire [c'est-à-dire le monde] va être repensée.

6

Quadrature, Théo et XXX entrent, viennent se placer en groupe au centre de la scène.
Tang vient prendre place légèrement en retrait de Dinh. La scène est rythmée avec un instrument à percussion. Diction non réaliste.

BULLDOG : Deux armes sont en présence : la bombe à hydrogène du monde civilisé et scientifique – et la planche à clous du paysan dans la rizière.

QUADRATURE : Un conflit ne se gagne ni avec une bombe atomique ni avec une planche à clous, mais avec un cerveau.

THÉO : Il n'y a pas de cause juste qui dans les poubelles de l'Histoire ne finisse par pourrir.

DR XXX : Écrit l'Histoire celui qui gagne la guerre.

QUADRATURE : Notre cause est juste parce que nous possédons tous les moyens de gagner.

TANG : C'est le droit des peuples à la révolution que nous défendons.

THÉO : Il faut éliminer la guerre subversive de l'esprit des hommes pour passer de l'Histoire à l'hyperhistoire.

DINH : Je ne connais qu'une chose : le roi de Thuc après avoir perdu son pays fut transformé en râle d'eau. – Ses cris plaintifs se font entendre de jour et de nuit, tout au long de la saison sèche.

QUADRATURE : Si en écrivant l'Histoire, nous vous condamnons à devenir des râles d'eau ? Pensez-vous interjeter appel ?

NGUYEN : Nous aurons notre vérité pour nous.

DR XXX : Lorsque deux hommes se battent, la vérité est à celui qui gagne. Le tort [temporaire dans la mesure où il peut remettre le différend sur le tapis] à celui qui est blessé. Le tort [définitif] à celui qui est mort. L'homme en général est ainsi fait qu'il a besoin d'une vérité réconfortante. Sans réconfort il n'y a pas de vérité possible. Nous avons interrogé la machine pour savoir ce qu'il y avait de plus réconfortant pour l'homme. Elle nous a fait un million deux cent mille réponses. Nous en avons déduit que l'homme, quelle que soit sa condition, sera toujours insatisfait. Nous avons dû procéder par éliminations successives pour pousser plus à fond. Nous avons obtenu comme réponse générale – le lieu commun.

QUADRATURE : Malheur à qui en sera exclu – Docteur XXX Kit, lisez une des deux cents versions possibles de l'Histoire que nous écrirons lorsque nous serons dans l'hyperhistoire [à ce moment-là les cerveaux électroniques choisiront la plus adaptée].

Le docteur XXX cherche dans ses dossiers et en tire quelques feuillets.
Mégasheriff apparaît sur l'écran n° 3. Retour à la diction réaliste.

MÉGASHERIFF : Dis donc l'intellectuel, fais en sorte que ce soit la mienne. [Eh! la perche à multiplications] t'as intérêt à mettre un jeton dans la fente pour réchauffer l'atmosphère.

Théo va vers la Châtaigne, jette un dime dans l'un de ses creux. Aussitôt se répand une musique texane.

MÉGASHERIFF : Vous entendez les gars?

Toute cette séquence sera dite avec l'accent typique des doublures de westerns. Tous les personnages restés sur scène se tournent vers les écrans et s'y installent comme s'ils assistaient à une séance de cinéma.

Dr XXX : [Par roulement à travers les époques] se manifeste toujours dans l'histoire du monde un peuple élu – c'est-à-dire un peuple qui martèle à sa ressemblance tout le reste de l'Univers. Rien ne laissait prévoir [à sa naissance] que le Texas serait ce peuple-là. Envoyez le drapeau avec la fleur de bison.

MÉGASHERIFF : J'y ai ajouté une étoile de Mégasheriff. [Regardez!] Si mon grand-père n'était pas mort à Alamo en défendant le territoire contre les rastas – c'est sûr qu'il aurait payé la tournée.

Il tire un coup de revolver.

MÉGASHERIFF : Qu'à cela ne tienne, c'est moi qui régale [à condition que je gagne la tournée au poker].

Pointu apparaît sur l'écran n° 1.

POINTU : J'ai entendu du bruit dans mes oreilles.

MÉGASHERIFF : Pointu, avertis ton escadre de va-nu-pieds que je paye à boire.

Pointu embouche un porte-voix de marine et appelle.

POINTU : La Congrégation!

La Congrégation apparaît sur l'écran n° 5.

MÉGASHERIFF : Et l'ambassadeur Ventriloque, il dort? Un ivrogne qui ne renifle pas qu'il y a un verre à boire – c'est pas un vrai. Dis donc La Congrégation, t'as intérêt à pas trop te retourner sur l'Intellectuel [c'est comme les mouches bleues ces gens-là, ils font pousser les asticots partout où ils se posent].

L'Ambassadeur Ventriloque apparaît sur l'écran n° 4.

VENTRILOQUE : Il y a quelque chose à boire.

POINTU : Salut Ventriloque.

MÉGASHERIFF : Il y a quelque chose à boire – mais il n'y a rien à se mettre sous la dent. – Bulldog, il te reste quelque chose?

Ils entament une partie de poker. Bulldog qui est devenu spectateur se lève et répond.

BULLDOG : Plus un seul Apache. Pas le moindre campement Caddoes. – Rien.

MÉGASHERIFF : Et toi Pointu? – Il te reste bien quelques Atakapas sur tes plages à requins.

Bulldog se rassied.

POINTU : Ils n'avaient pas une hygiène très développée [Ils sont tous morts].

MÉGASHERIFF : Et vous La Congrégation, les Commanches que vous vouliez baptiser.

LA CONGRÉGATION : En enfer! [Tous des mécréants.]

VENTRILOQUE : Vous savez comment ça se dit « passé » en indien? – Les histoires que les morts racontent.

MÉGASHERIFF : Il n'en transpire plus grand-chose. Si mon grand-père qui a été tué en défendant Alamo était ici, il serait mort de tristesse c'est sûr.

VENTRILOQUE : Dommage que la révolution ait déjà éclaté.

MÉGASHERIFF : Dommage.

LA CONGRÉGATION : Comment? [Une révolution au Texas?]

POINTU : L'introduction du fil de fer barbelé ça a tout révolutionné. A la place de petits troupeaux qui broutaient les un chez les autres – il n'y a plus que de grands troupeaux, bien délimités et bien administrés.

MÉGASHERIFF : J'en ai marre des « Mégasheriff Lake », des « Mégasheriff Town », des « Mégasheriff School » et des

« Mégasheriff Coffeshop » qu'a fait fleurir cette révolution. – Dis donc XXX [t'es bien gentil] mais si tu en venais tout de suite à l'essentiel. – On gagnerait du temps.

Dr XXX : Mégasheriff qui n'aimait pas perdre son temps fut aussitôt plébiscité président des royaumes de la Maison Blanche et du Pentagone réunis. Mais l'âme insatisfaite de l'aïeul tué à Alamo le poursuivait.

MÉGASHERIFF : Dis donc [Bulldog] tu n'aurais pas quelque chose à nous mettre sous la dent ?

Bulldog se lève.

BULLDOG : Vos prédécesseurs ont déjà réglé pas mal de choses.

Il se rassied.

MÉGASHERIFF : Si mon grand-père avait connu ça, il aurait eu des fourmis [c'est sûr].

DINH : Pourquoi se remuer tellement. Lorsque les grains ailés éclatent des arbres et que le vent les emporte, la terre voyage. On a tout à apprendre de ce qu'elle a vu.

BULLDOG : Pourriez pas parler texan comme tout le monde.

MÉGASHERIFF : C'est vrai ! Qu'est-ce qu'il fait celui-là ?

DINH : Je répare des bicyclettes.

QUADRATURE : Erreur ! Dans les westerns les « jaunes » aux yeux bridés sont toujours fabricants de cercueils.

MÉGASHERIFF : [Juste !] Tu me plais. Tu fais dans quoi ?

QUADRATURE : La stratégie globale.

MÉGASHERIFF : Je t'embauche. Au Pentagone on a besoin de gens comme toi. [Pas vrai Pointu ?]

POINTU : Sûr !

LA CONGRÉGATION : Vous pensez pas qu'il faudrait lui donner un petit coup de main au marchand de cercueils.

DINH : Ne prenez pas cette peine.

TOUS : Quoi?

MÉGASHERIFF : Dis donc – notre peuple a toujours aidé généreusement les marchands de cercueils. Et puisque tu es démuni et que tu as besoin de protection, nous allons faire un effort encore plus grand pour améliorer le sort des marchands de cercueils. Voilà un rude boulot, enrichir les espoirs de millions de tes semblables. – Dis donc l'ambassadeur, l'aspect juridique de ce que je viens de dire, ça se présente comment?

VENTRILOQUE : Escadres avec équipement électronique, plus croiseurs lourds plus porte-avions, plus destroyers armés d'engins Terrier plus transports de troupes et d'intendance, plus ravitailleurs.

MÉGASHERIFF : Hé là! chaque cercueil va nous coûter une fortune. Ça fait un sacré prix de revient avec ce que tu me dis là.

LA CONGRÉGATION : Il n'y a qu'à remplacer le mot cercueil par bonne action. – Or une bonne action n'a pas de prix.

MÉGASHERIFF : Dis donc la Quadrature t'as pas quelqu'un sous la main qui puisse me régler cette histoire sur le plan psychologique. La Congrégation semble dire qu'on en aurait besoin.

DR XXX : L'aspect psychologique, c'est moi.

MÉGASHERIFF : Et alors?

DR XXX : Flotte auxiliaire. – Vingt-cinq navires avec une première vague de 65 000 marines de soutien.

Bulldog dégaine et tire un coup de feu.

BULLDOG : Les rues du Paradis sont gardées par les marines.

PÈRE FUSIL : Bulldog un peu de calme [nous travaillons dans le cercueil pour l'instant].

BULLDOG : C'est bien ce que j'avais compris.

Dr XXX : Dois-je continuer?

MÉGASHERIFF : J'attends l'aspect psychologique.

Dr XXX : Soixante mille pieds cubiques de jeeps trois-quarts, camions 2,5 t et 5 t, camions citernes, dépanneurs, blindés légers, tanks, tracteurs amphibies, canons de 105 et de 155, rampes de lancement missiles antiaériens, ontos avec chacun six canons de 106 sans recul, plus les navires auxiliaires en état d'opération antiaérienne, anti-sous-marine, anti vedettes lance-torpilles.

MÉGASHERIFF : C'est ce que vous appelez l'aspect psychologique. [J'ai compris.] Nous nous battons parce qu'il faut nous battre.

LA CONGRÉGATION : Pour vivre dans un monde où chaque nation pourra choisir son propre destin et ses propres marchés.

MÉGASHERIFF : Voilà. – Quadrature maintenant arrangez-moi tout ça dans la stratégie globale.

QUADRATURE : Nous sommes prêts. L'Opération « Lance d'Argent » n'attend que votre ordre pour servir de préface à notre entrée dans l'hyperhistoire.

MÉGASHERIFF : [Tout de suite?] Faut alors que je rentre en clinique, un malade sur un grand lit en train de penser – c'est toujours impressionnant – que Dieu nous protège.

Les écrans s'éteignent. Restent seuls éclairés à la cour Dinh et Dr XXX.
Jeu de diction non réaliste.

DINH : Vous connaissez le Kim Van Kieu? Le Vietnam qui a connu tant de guerres, tant d'occupations, tant de soulèvements ne se reconnaît que dans un seul poème épique [Kim Van Kieu] et c'est un roman d'amour.

Dr XXX : Pourquoi criez-vous? Les romans d'amour n'entrent pas dans la stratégie globale.

DINH : Alors il faut lutter pour qu'ils y entrent.

7

Californie. L'air est déchiré par le fracas des manœuvres.
Dave, Sophie, et Stanley se retrouvent.
Ils sont tous les trois habillés de noir avec des lunettes
noires.

DAVE : Et dire qu'une seule de nos flottes aéronavales a
un budget égal a celui d'un pays comme la France!

STANLEY : [C'est impressionnant.]

SOPHIE : Victoire. – Les parachutistes ont été pris dans nos
pièges. Dans une vraie guerre ils auraient tous été empalés.

DAVE : Où sont-ils?

SOPHIE : Éliminés de l'opération.

DAVE : Préparez-vous à recevoir la deuxième vague.

SOPHIE : Ce sera beaucoup plus difficile. Ils porteront tous des
semelles d'acier à leurs souliers.

STANLEY : Pourquoi ne pas parachuter en même temps des
trottoirs en béton, pour rendre la manœuvre plus facile.

SOPHIE : [Ça viendra peut-être.]

DAVE : Comment marchent les groupes d'auto-défense?

STANLEY : Pas très convaincus. – Deux solutions – ou leur
laver le cerveau [ou leur augmenter le salaire].

DAVE : Les deux sont dangereuses.

STANLEY : Comment voulez-vous qu'on recrée artificielle-
ment les conditions viets [ici] en Amérique?

DAVE : Une manœuvre est une manœuvre. Peut-être ce qui
nous semble une mascarade sauvera la vie de beaucoup des

nôtres le moment venu. De l'autre côté aussi avec les fausses bombes qu'ils font pleuvoir depuis trois jours au-dessus de nos têtes, ils devraient penser la même chose. Pourtant vous avez vu hier le pilote du Skyhawk. [Celui qui s'est fait descendre par le missile lancé du destroyer?] Ce matin, il a un nom dans tous les journaux. Il s'appelle lieutenant Larry Cooper, mort en mission.

STANLEY : Vous fâchez pas. – Pratiquement que faut-il faire?

DAVE : Enlever le maximum de soldats qui vont débarquer. Toutes les ruses sont bonnes. J'attends vos suggestions. Rendez-vous après le parachutage de la troisième vague.

Allongé sur un lit de la clinique où il s'est retiré, Méga-sheriff reçoit la visite du général en retraite Ilikike, le chapeau surmonté d'une plume roucouyenne.

ILIKIKE : Alors? [Votre vésicule biliaire.]

MÉGASHERIFF : [En roucouyenne *honoris causa*?] Général Ilikike, vous préparez déjà votre Panthéon? [vous avez bien raison]. On n'est jamais aussi bien servi que par soi-même.

ILIKIKE : A l'issue des travaux du Comité de coordination du parti républicain, j'ai dû déclarer que vos bombes de cinq cents kilos étaient immorales. – Je viens vous demander [conformément aux résolutions] d'y mettre fin.

MÉGASHERIFF : Vous m'étonnez – votre parti a fait sa campagne électorale sur l'intensification de la guerre au Vietnam.

ILIKIKE : J'ai dit immorales parce qu'elles redonnent confiance à l'ennemi. – Pourquoi écartez-vous systématiquement l'utilisation des armes nucléaires?

MÉGASHERIFF : Qui vous a dit cela?

ILIKIKE : Votre façon de mener la guerre. – L'essentiel est de la gagner [croyez-moi] tout le reste est secondaire.

MÉGASHERIFF : Ilikike [vous qui êtes un ancien confrère] je vais vous confier deux secrets. Le premier c'est que la firme publicitaire qui vous a fait président à deux reprises...

ILIKIKE : Qu'est-ce que vous dites?

MÉGASHERIFF : [Le dentifrice Golgotha, le savon Ramo-live, les produits de beauté Bébé Condom] ça vous dit quelque chose?

ILIKIKE : [Ah! Ah!]

MÉGASHERIFF : Elle vient de passer entre les mains de ma femme – mais vous pouvez continuer à l'employer sans crainte. – Les affaires sont les affaires [le sentiment n'a rien à voir].

ILIKIKE : J'y suis.

MÉGASHERIFF : Le second – c'est que dans quelques jours notre stratégie [sera globale]. Vous avez compris?

ILIKIKE : [Ah! Ah!]

Mégasheriff se met à geindre pour couper la discussion avec Ilikike. A peine celui-ci est-il parti qu'il se met aussitôt en relation avec le Pentagone. Théo répond.

MÉGASHERIFF : Quadrature n'est pas là?

THÉO : Il étudie les planches à clous.

MÉGASHERIFF : Vous êtes au courant de la dernière manœuvre du parti républicain?

THÉO : Vous l'avez doublé sur son propre terrain. Il essaye maintenant de reprendre l'avantage.

MÉGASHERIFF : Mais alors?

THÉO : L'emploi des armes atomiques n'est pas envisagé pour le moment. Aucune de nos nécessités militaires ne l'exige. Dans le cadre de la guerre que nous faisons, les armes toxiques sont beaucoup plus efficaces. De toute façon, notre système de contrôle est sûr dans 99,99 % des cas. – Mais comme il y a trois cent soixante-cinq jours par an, le calcul des probabilités nous donne la certitude d'un incident avant trente ans.

MÉGASHERIFF : Avant?

THÉO : Vous dire quand jouera ce 0,01 % de possibilité d'incident serait manquer de réalisme. [Peut-être demain, peut-être dans deux ans, peut-être dans dix.] Ce qui est certain c'est que la bombe partira.

MÉGASHERIFF : Mais c'est maintenant que nous devons avoir la situation en main.

THÉO : Nous l'avons.

MÉGASHERIFF : Êtes-vous bien sûr qu'en fait de situation ce n'est pas un énorme paquet de dollars que vous avez en main? Votre acharnement à défendre la stratégie globale pourrait être le fruit de la compréhension de quelques généreux mécènes. [C'est ce que disent les militaires.]

THÉO : [Monsieur le président!]

MÉGASHERIFF : De toute façon je saurai. – Trouvez-moi Peper le plus vite possible. [Il est au Vietnam.] Il enquête pour le Centre de recherches catholique. Dès que vous l'aurez situé, vous me l'enverrez à la clinique par le relai de la Maison Blanche.

9

Californie. Dave toujours en tenue noire fait semblant de pêcher sur le bord d'une rivière. Soudain il entend un bruit, il met aussitôt ses lunettes noires. Stanley entre, toujours dans la même tenue. D'une musette il tire une canne à pêche qu'il monte, il se met à pêcher à son tour.

STANLEY : La troisième vague est maintenant hors circuit. Avec leurs semelles de fer [ça n'a pas été difficile de les coincer].

DAVE : Personne n'a protesté.

STANLEY : Il y avait les arbitres officiers.

DAVE : De mon côté – les maquilleurs qui posent des moulages de plaies sur les supposés blessés sont débordés. Tous les hélicoptères sont requis pour faire la navette avec les centres médicaux. D'authentiques médecins [débordés eux aussi] n'arrêtent pas de soigner de fausses blessures. Maintenant [avec le débarquement massif] il ne nous reste plus qu'à creuser un tunnel [et attendre que ce soit terminé].

STANLEY : On ne va quand même pas s'arrêter.

DAVE : Que voulez-vous faire?

STANLEY : Enlever l'ambassadeur qui vient de Saigon. [Il se trouve à San Diego.]

DAVE : La préparation va demander un temps fou.

STANLEY : Je m'en occupe [avec Sophie].

DAVE : [Je vois.]

STANLEY : Quoi?

DAVE : Foncez!

41

10

La clinique. Mégasheriff est en communication avec Peper, l'enquêteur du Centre de recherches catholique. Celui-ci se trouve sur le praticable entouré de Ly et de Phuong.

MÉGASHERIFF : Peper [vous qui parcourez le pays] pensez-vous que nos armes soient efficaces?

PEPER : Mon enquête pour l'instant donne les chiffres de 750 000 enfants mutilés ou brûlés et 250 000 tués par le napalm et les gaz toxiques.

Il passe son micro à Ly.

LY : Vous ne pouvez pas imaginer le vent de folie qui a traversé mon village après que les gaz vomitifs eurent été lancés. Les gaz provoquent un choc auquel beaucoup sont incapables de résister. Ils se tordent dans les crampes, bleuissent, noircissent et c'est fini. Tous les enfants du village sont morts à la même heure.

MÉGASHERIFF : Qu'est-ce que c'est?

PHUONG : Des milliers dépérissent dans les camps rongés par la tuberculose et le typhus. Des milliers meurent de faim et d'infection. Notre avenir meurt avant nous.

MÉGASHERIFF : Qu'est-ce que c'est?

PEPER : Des dizaines de milliers sont entassés dans les orphelinats privés du nécessaire. – La prostitution commence à dix ans.

MÉGASHERIFF : Je vous arrête. – Est-ce que vous représentez l'Amérique? Non. – Vous représentez l'idée que voudraient se faire de l'Amérique certains excités des pays européens [même pas communistes]. **Représentez-vous** alors les catholiques? Pas davantage si j'en crois votre hiérarchie – alors, que représentez-vous? Vous représentez la liberté d'opinion. [Même sujette à discussion] nous la respectons parce que nous sommes une démocratie. – Pour ma part je vous ferai remarquer que si nous sommes en démocratie, nous sommes aussi en guerre. – Qu'une guerre entraîne des malheurs n'est pas une invention de la Maison Blanche.

Il arrête la communication et se met en rapport par écran avec le Pentagone.

MÉGASHERIFF : Donnez-moi par relais Mgr La Congrégation.

La Congrégation apparaît sur l'écran du Pentagone.

LA CONGRÉGATION : Comment va votre vésicule biliaire?

MÉGASHERIFF : Mal.

LA CONGRÉGATION : C'est bien triste.

MÉGASHERIFF : [Je vais mal] et ce sont les catholiques qui en sont la cause.

LA CONGRÉGATION : C'est de plus en plus triste.

MÉGASHERIFF : Vous ne pourriez pas obtenir une déclaration de votre boss.

LA CONGRÉGATION : Les déclarations de Rome, ce n'est pas ce qui manque. Vous voulez les entendre?

Tous écoutent le message de paix retransmis par bande magnétique.

MESSAGE DE PAIX : Le mystère de l'homme qui se fait dieu – fera le drame de notre histoire. Cette tragédie nous menace avec ses catastrophes et ses virtualités sans fin. Plus les hommes progressent au niveau scientifique et technique, plus ils se défient des autres.

LA CONGRÉGATION : Votre état de santé peut-il en accepter davantage?

MESSAGE DE PAIX : L'attention du monde, et la nôtre aussi, se concentre sur l'état de guerre au Vietnam. – Le miracle de la bonne volonté des hommes nous voulons encore maintenant le croire possible.

MÉGASHERIFF : Trop difficile à comprendre dans la situation où je me trouve. [Vous ne pouvez pas le traduire.]

LA CONGRÉGATION : La guerre du Vietnam est une guerre pour la défense de la Civilisation. Elle nous a été imposée, nous ne saurions céder à la tyrannie. Toute autre solution que la victoire est impensable.

La Châtaigne se met à protester: sonneries. Sur l'écran nº 1, Kit apparaît.

KIT : La Châtaigne n'est pas d'accord avec la traduction.

LA CONGRÉGATION : Dites à votre machine que j'ai versé un million de dollars au concile œcuménique. C'est une somme qui vous met d'accord avec n'importe quelle traduction.

MÉGASHERIFF : Partez tout de suite au Vietnam. A l'heure où nous allons entrer dans l'hyperhistoire avec le grand débarquement, votre présence sera d'un réconfort certain. Je vais en parler avec l'ambassadeur.
– l'ambassadeur s'il vous plaît-

Sur l'écran nº 4 apparaît Ventriloque.

MÉGASHERIFF : Ne me demandez pas des nouvelles de ma santé. Elle est bonne. Lorsque vous retournerez à Saigon vous amènerez La Congrégation avec vous. Je souhaite qu'il soit reçu dans toutes les bases.

VENTRILOQUE : Nous pourrons lui prêter l'auto-mitrailleuse avec laquelle Mgr Thuc fait ses tournées pastorales.

Derrière lui, sur l'écran nº 4, Sophie apparaît.

SOPHIE : Monsieur l'ambassadeur ! C'est le théâtre aux armées.

Ventriloque se retourne. Stanley apparaît à son tour.

STANLEY : Une tournée non pastorale avec une jolie fille [ça vous va?].

L'écran n° 4 s'éteint.

MÉGASHERIFF : Que s'est-il passé?

THÉO : Rappelez le 11° latitude Nord, 104° longitude Est [en transit].

Sur l'écran n° 1, Kit. Sur le n° 2, le docteur XXX.

KIT : Le contact est normal.

Dr XXX : Sacré Ventriloque! Toujours le sens de l'humour [ça le perdra].

MÉGASHERIFF : Votre hyperhistoire [ça arrive bientôt]?

Dr XXX : La Châtaigne nous a fourni une marge d'escalade que nous ne pouvons dépasser. Votre discours est prêt [monsieur le Président].

MÉGASHERIFF : Je vous écoute.

Dr XXX : Derrière toute entreprise, se trouve un homme qui en définitive est le seul responsable. Des gens habiles [ou ambitieux] lui font miroiter des rêves dorés et lui préparent des plans nouveaux. [Ils discutent.] Lui pondère. Il sait qu'en cas de succès tous le revendiqueront. Il sait aussi qu'en cas d'échec, l'échec ne sera que pour lui.

MÉGASHERIFF : Mon grand-père à Alamo se serait fait trouer le chapeau plutôt que de prononcer une pareille phrase.

Dr XXX : Il appartenait à une génération qui ignorait les tournants. — La ligne droite au siècle de l'automobile c'est le plus court trajet pour finir au fond d'un ravin.

MÉGASHERIFF : Avec des gens comme vous, je finirai par ne plus retrouver [avec mes deux mains] le fond de ma culotte.

Dr XXX : reste seul éclairé, en train d'avaler son humiliation.

11

Alternance Kien Cuong et la Californie.
Les vrais et les faux Vietnamiens.
Dans une villa de Californie où se trouve Dave, Stanley
introduit Ventriloque.

VENTRILOQUE : Bravo les gars. – C'est bien joué. Maintenant que vous avez réussi, je vous dois une tournée générale.

DAVE : Pour l'instant nous vous gardons prisonnier. – Cigarette?

Kien Cuong. Ly se précipite dans la boutique de Dinh.

LY : Oncle Dinh! oncle Dinh vous savez la nouvelle?

Californie.

VENTRILOQUE : Vous avez peut-être l'intention de convoquer la presse? Permettez-moi de vous dire avec toute l'humilité [qu'exige ma situation] qu'entre les " Charlic " et vous, il y a une sacrée différence.

Kien Cuong.

LY : Vous saviez qu'il y a un trafic des foies de prisonniers vietcongs. Ils ont un cours au marché noir.

DINH : Il y a même des grossistes en la matière. [Tan Khanh le chef de la Sécurité à Kien Hoa, tu connais?]

Californie.

VENTRILOQUE : Je ne pense pas que Tan Kanh daigne dépenser la moindre piastre pour acquérir les vôtres.

Kien Cuong. Tang discute avec Tran.

TANG : Le chef de la police du Kuang-nai [Can] ne voulait plus être payé qu'en oreilles coupées. En essayant de forcer son bureau pour subtiliser certaines listes, nous en avons trouvé quatre cent trente-deux paires.

Californie.

VENTRILOQUE : Si vous vous prenez pour des " Charlie ", il vous faudra encore beaucoup apprendre. Même au musée de Boston, je ne pense pas que vos oreilles fassent monter les enchères.

DAVE : Et vous couvrez tout cela?

VENTRILOQUE : Je ne couvre rien, je fais une guerre dans un pays où un quart des habitants se lime les dents pour manger de la viande pourrie, et ignore [à quoi pourrait servir un pantalon.]

STANLEY : D'où viennent les difficultés?

Kien Cuong. Hoa va à la rencontre de Tang et de Luyen.

HOA : Le bruit court que toute la province va être déclarée : zone où l'on peut tuer librement.

LUYEN : C'est déjà fait depuis longtemps.

Californie.

VENTRILOQUE : Nous n'arrivons pas à situer l'ennemi en tant qu'ennemi. Ceux que nous protégeons et ceux contre lesquels nous nous battons sont les mêmes.

DAVE : Il faudrait les différencier entre ceux de la bonne cause [et les autres.]

VENTRILOQUE : La confusion serait encore plus grande. Nos photographes ne prennent que les photographies de nos atrocités. – Jamais celles des autres.

DAVE : Et les services de propagande.

VENTRILOQUE : Ils ont publié la photographie de Hô Chi Minh en signalant bien qu'il était coupable de toutes les anomalies enregistrées au Vietnam. Mais avec sa tête de vieux père Noël sous-alimenté, il a fait pleurer tout le monde.

DAVE : Mais alors, que faire ?

D'un seul coup, Ventriloque se débarrasse de ses liens, baisse la tête, fonce sur Dave et l'allonge. Il se retourne vers Stanley. Les deux hommes s'empoignent. Après une courte lutte, l'ambassadeur est maîtrisé.

STANLEY : Vous avez pris de mauvaises habitudes au Vietnam.

VENTRILOQUE : Vous croyez que c'est au Vietnam ?

12

Le Pentagone. Théo fait à Quadrature un rapport sur l'enlèvement de l'ambassadeur.

THÉO : Un commando opérationnel est parti interroger les familles des faux Vietcongs qui ont enlevé l'ambassadeur. Leur mission ne s'achèvera que lorsque l'endroit où il se trouve aura été livré.

QUADRATURE : Cet enlèvement est tellement stupide que ce ne peut être qu'un coup des militaires.

Sur l'écran nᵒ 1 Kit apparaît.

KIT : Rapport du commando opérationnel. – Je lis : « Notre opération [dans les familles de soldats à missions clandestines] nous a permis d'arrêter l'un d'eux – une femme – Sophie Cunningham. Croyant que nous étions des « gangsters » [sic] ou des « satyres) » [resic] la personne a fortement hésité à nous suivre. Nous l'avons fait marcher pendant plusieurs kilomètres avec une mitraillette dans le dos. Le chef de la police de San Pedro qui était averti a facilité la tâche en n'intervenant pas. Arrivés à la plage nous l'avons chargée sur un canot qui l'a amenée à bord du Midway. » – Fin de transmission.

L'écran nᵒ 1 s'éteint, Mégasheriff paraît sur l'écran nᵒ 3.

MÉGASHERIFF : Qu'est-ce que vous avez fait de l'ambassadeur?

QUADRATURE : Je le cherche.

MÉGASHERIFF : Les militaires sont furieux.

QUADRATURE : Dès qu'ils décollent de leur bêtise, [un porte-avions!] ils n'ont guère la possibilité d'être autre chose.

MÉGASHERIFF : Vous allez fort – Quadrature! [Est-ce que vous ne vous trompez jamais?]

QUADRATURE : Le Christ sur douze possibilités a commis une erreur en choisissant Iscariote parmi ses disciples. – Moi je peux supprimer six cent trente-cinq bases dans le cadre de la stratégie globale – et être sûr de n'en commettre aucune.

MÉGASHERIFF : Si mon grand-père en pleine bataille à Alamo avait entendu cette réponse, il en aurait eu le souffle coupé [c'est sûr].

   Sur l'écran n° 1, Kit.

KIT : Message de police en provenance de Midway – je lis – « La personne qui nous a été livrée sous le nom de Sophie Cunningham a été enfermée au secret. Nous l'avons soumise à la question et aux tests des détecteurs à mensonge. L'expérience n'a pu être menée jusqu'au bout : la personne s'est suicidée. » – Fin de transmission.

   Écran n° 1 s'éteint.

QUADRATURE : C'est ennuyeux.

MÉGASHERIFF : Très ennuyeux.

QUADRATURE : On ne se suicide quand même pas pour un « oui » ou pour un « non » [il doit y avoir des troubles psychiques graves sous cette affaire].

THÉO : Si elle a un mari et si ce mari trouve un avocat marron pour nous intenter une action...

QUADRATURE : Quelle action voulez-vous qu'il intente. – La femme du pilote qui a intercepté le rockett ne va pas intenter une action contre la marque Terrier [ou contre le destroyer qui l'a lancé]. Votre gars touchera dix mille dollars d'assurance G. I. et quatre cents dollars par mois de pension de veuve de guerre [en y comprenant la sécurité sociale].

MÉGASHERIFF : Nous sommes en démocratie [Quadrature] ne l'oubliez pas. Même si cette histoire ne rentre pas dans la stratégie globale, tâchez de l'arranger. – Sinon vous sautez.

QUADRATURE : Pas en pleine manœuvre, avant que le grand débarquement ait eu lieu.

MÉGASHERIFF : Ça serait regrettable [je suis tout à fait d'accord avec vous].

QUADRATURE : Dans ce cas, veuillez accepter ma démission.

MÉGASHERIFF : Théorème, vous prendrez la place et vous dirigerez la manœuvre jusqu'au bout.

THÉO : Non !

MÉGASHERIFF : Quoi ?

THÉO : Je pars avec le secrétaire.

MÉGASHERIFF : A votre guise.

Son écran s'éteint. Dr XXX qui est entré depuis quelques instants annonce :

Dr XXX : Le courrier est prêt. – 640 lettres détectées. Deux mille imprimés et divers transmis au 2 F 1040. – Plus un colis en provenance du Sud-Vietnam – avec une planche à clous à l'intérieur [la troisième en deux mois].

QUADRATURE : Gardez-la.

Dr XXX : Encore !

QUADRATURE : Que se passe-t-il ?

Dr XXX : Tout ce qui entre au Pentagone entre dans un serpent qui se dévore la queue. D'un bureau à l'autre, d'une salle à l'autre, nous transhumons dans un cercle de digestions continues et superposées – sans jamais en voir l'aboutissement. – Lorsque je vois les balayeuses arpenter quotidiennement sur leurs bicyclettes leurs vingt-cinq kilomètres de couloir – et recommencer aussitôt après – j'ai l'impression que moi [en tant que chef de service du Pentagone] je n'arriverai jamais au bord de mes pensées, je n'arriverai jamais au bout de mon visage, je n'arriverai jamais au bout de ma vie.

QUADRATURE : Depuis combien de temps êtes-vous au Pentagone?

Dr xxx : Six ans.

QUADRATURE : Le département chimique va mettre en circulation la pilule Patterson [contre la peur] spécialement conçue pour les marines. – Vous devriez l'essayer. « Lance d'Argent » souffrirait de votre défection.

Docteur XXX reste seul sur scène, repoussé par l'homme auquel il avait tenté de donner sa synpathie.

13

Bulldog rencontre Dave au bowling.

BULLDOG : Parfait. [Merveilleux] Bravo. – Vous avez été sublime.

DAVE : Vous savez que nous avons eu des pertes.

BULLDOG : C'est justement ce qui a permis le renversement de la situation.

DAVE : Mais [cette Sophie Cunningham] était sous ma responsabilité. Son ami était mon homme de confiance.

BULLDOG : Premièrement – Lorsqu'on fait une guerre, on ne peut pas s'intéresser aux histoires sentimentales des deux cents millions de personnes qui peuplent les États.
Deuxièmement – On ne s'en plaint pas lorsque celles-ci vous permettent de mettre dehors les civils du Pentagone.

DAVE : Il y a du nouveau?

BULLDOG : On parle de la démission des intellectuels. Méga-sheriff s'en remet aux militaires [contraint et forcé]. Je dis contraint et forcé parce que nous lui préparons une surprise pour laquelle il ne fera certainement pas élever une plaque commémorative au Texas. [Aux élections qui ne sauraient tarder] un fauteuil d'attorney général à Los Angeles sourira à votre fondement à condition que vous y mettiez par-dessus une autre tête. [Celle-là ne va pas – elle commence à dater.] J'ai vu l'ambassadeur [il est avec nous] et bien entendu il demeure enchanté d'avoir connu un regard aussi ahuri que le vôtre. [Dans une collection, ça compte.] La manœuvre va certainement continuer – mais jusqu'en Chine cette fois.

14

Au Pentagone, Quadrature empile les dossiers et vide les tiroirs. Mégasheriff entre et s'arrête derrière lui. Méga-sheriff n° 2 entre à son tour et s'installe derrière Méga-sheriff n° 1. Il regarde lui aussi. C'est Mégasheriff le Bien-Aimé – ensuite Mégasheriff n° 3 [le Constructeur], Mégasheriff n° 4 [le Bon] et Mégasheriff n° 5 [le Men-teur]. Toute la carrière politique du président. Une autre possibilité consiste à faire entrer Mégasheriff n° 1 seul, les autres apparaissant sur les écrans 1, 2, 4, 5.

MÉGASHERIFF : Qu'est-ce que vous faites – Quadrature?

QUADRATURE : J'attends que ma démission soit officiellement acceptée pour rentrer chez moi. – Vous êtes nombreux ce soir, Monsieur le président.

MÉGASHERIFF : Parce que je suis seul. Et plus je suis nom-breux plus je suis seul.

MÉGASHERIFF 2 : Peut-on oublier celui qu'on a appelé « le Bien-Aimé » – Sheriff le Bien-Aimé – 70 % des Américains rangés derrière mon nom.

MÉGASHERIFF 3 : Et Mégasheriff le Constructeur, qui en échange d'un vote pour le Vietnam n'hésitait pas à faire construire un barrage.

MÉGASHERIFF 4 : Et Mégasheriff le Bon, tel un roi de l'ancienne Europe, le presque créateur de la Grande Société [résolu le problème noir, abolie la pauvreté].

MÉGASHERIFF 5 : Et maintenant « aucun président de l'his-toire des U. S. A. n'a incarné une telle synthèse de contra-dictions – une nature aussi grossière et subtile, tant de confiance et d'inquiétude devant soi-même, de hauteur et de vulnérabilité, de bassesse et de générosité, de vulgarité et de dignité, de cruauté et de tendresse, de prosaïsme public et de charme privé » – voilà ce qu'on écrit.

MÉGASHERIFF : L'ensemble magnifié par la taille, l'intensité, l'ardeur d'une personnalité extravagante et impérieuse.

MÉGASHERIFF 2 : Il sait qu'un président doit faire de grandes choses, mais à la différence de certains de ses prédécesseurs, il ne sait ce que sont ces grandes choses – voilà ce qu'on dit.

MÉGASHERIFF 5 : Une fatalité malveillante le contraint à affronter des problèmes dépassant sa compréhension ou ses capacités de contrôle – intellectuel – voilà ce qu'on répète à mon sujet.

MÉGASHERIFF 4 : L'homme le plus puissant du monde semble abandonné par la chance, il est peu à peu lâché par ses fidèles serviteurs. Il n'est plus que le solitaire de la Maison Blanche.

MÉGASHERIFF 1 : Il est juste qu'il en soit ainsi. Au moment des grandes discussions, un chef est toujours seul.

QUADRATURE : Vous étiez désigné pour franchir le pont qui relie l'histoire à l'hyperhistoire. Vous vous êtes dérobé.

MÉGASHERIFF 5 : Qui a dit que je me dérobais? J'ai pris du temps pour réfléchir [sans plus].

QUADRATURE : Et qu'en avez-vous déduit?

MÉGASHERIFF 3 : Peut-être vivons-nous aujourd'hui le temps annoncé par l'Écriture, il y a bien longtemps, quand il fut dit :

MÉGASHERIFF 1 : J'en appellerai au ciel et à la terre pour marquer ce jour contre nous, le jour où je vous ai donné le choix entre la vie et la mort, la bénédiction et la malédiction.

MÉGASHERIFF : Je dirai choisissez donc la vie – afin que vous et vos descendants puissiez vivre. Et savez-vous ce qu'ils m'ont répondu [eux tous]?

Il désigne les autres Mégasheriffs.

MÉGASHERIFF 2 : La stratégie globale c'est comme l'histoire du n° 38 qui gagne à la loterie. Au vainqueur on demande si c'est par intuition ou par système. Il répond « par système ».

MÉGASHERIFF 3 : J'ai pris l'album de famille et à la page six il y avait mon grand-père et ma sœur aînée. Je me suis dit deux fois six c'est le chiffre.

MÉGASHERIFF 4 : J'ai fait la multiplication – 6 fois 6 égale 38. J'ai joué le 38 et j'ai gagné.

QUADRATURE : Vous avez dit cela?

MÉGASHERIFF 5 : Oui [mais comme vous]. J'ai répondu à tous : vous vous identifiez à un concept mystique qui a nom d'homme. – C'est une attitude rétrograde.

QUADRATURE : Merci.

MÉGASHERIFF : Alors je me suis dit – A l'échelle de la stratégie globale Alamo deviendrait une victoire – nous devons gagner la bataille d'Alamo.

Il va vers Quadrature et lui pose la main sur l'épaule. Pour la première fois le visage de Quadrature semble illuminé.

MÉGASHERIFF : Je refuse votre démission – demain débarquement massif de Lance d'Argent.

Aussitôt le grand ordinateur Quadrature, précis et mécanique, se remet à fonctionner.

QUADRATURE : Serez-vous aussi nombreux demain?

MÉGASHERIFF : [Pourquoi?]

QUADRATURE : Pour prévoir les communications.

15

Stanley, un imperméable jeté sur son costume noir, essaye d'intercepter le général Bulldog.

STANLEY : Je viens de la part de l'avocat Dave Crips, vous parler de Sophie Cunninugham.

BULLDOG : Même si l'heure est grave [les civils reprennent le dessus], les U. S. A. sont la plus forte nation existant sur la terre. Vous êtes la raison de cette force. Que dit le bréviaire des marines ? vous ne devez pas faire l'amour avant le mariage [sinon avec un préservatif] et n'avoir confiance qu'en Dieu et aux U. S. A. Vous ne devez rechercher la sympathie de personne. Sympathie est coincée dans le dictionnaire entre shit [merde] et syphilis. Vous n'avez qu'un seul ami [le meilleur] votre fusil.

STANLEY : Je n'en veux pas.

BULLDOG : Si vous continuez, je vous ferai mettre le cerveau à décaper dans un seau de grésil.
Garde à vous! – Être marine c'est ne jamais douter. [A quel régiment appartenez-vous?]

STANLEY : Je ne suis pas marine. Je suis cavalier de la Ire division aéromobile.

BULLDOG : De la division aéromobile? – Ça ne m'étonne pas. Tout est possible venant de ces gens-là. [Excusez-moi] vous ne m'intéressez pas.

Bulldog s'en va. Stanley reste seul.

STANLEY : Sophie tu es un petit enfant, il faut que je te raconte une histoire pour que tu puisses dormir tranquille comme

61

les petits enfants lorsqu'ils ferment les yeux. [Souviens-toi
nous l'avons lue ensemble.]

> A uan Mai, les enfants
> mangent des gâteaux
> de lune, font nager
> les carpes au-dessus
> de leurs têtes, et
> surveillent les canards.
> Du ciel sont arrivés
> des ballons plus brillants
> que des pamplemousses.
> Ceux qui les ont ramassés
> ne savaient pas ce
> qu'était un gaz toxique.
> A uan Mai, les enfants
> ne mangent plus des
> gâteaux de lune,
> ne font plus nager
> les carpes dans le vent.
> Près d'eux, les canards
> sont retournés sur le dos.

Dors Sophie maintenant. Je voulais te raconter une histoire
pour que tu puisses dormir tranquille. – Le soldat Stanley
Ross ne portera plus l'uniforme.

16

Au Pentagone. Projeté sur une des cartes, un A. G. C., navire amiral d'opération amphibie. Il situe la Yankee Station, le lieu de rassemblement supposé des escadres.

A. G. C. : Ici navire amiral d'opération amphibie. Nous sommes en communication avec tous les navires, avions et troupes débarqués. Les centres de calculateurs électroniques sont prêts à supporter l'ensemble de l'opération.

Théo procède aux vérifications de routine.

THÉO : Pilonnage?

A. G. C. : Pièces d'artillerie en action.

THÉO : Bombardement?

A. G. C. : Escadrilles en action.

THÉO : Sondage des eaux?

A. G. C. : Dragueurs de mines en action.

THÉO : Sondage des plages?

A. G. C. : Hommes-grenouilles largués par parachutes.

THÉO : Heure H moins 1.

Sur écran n° 3, Mégasheriff.

QUADRATURE : Heure H moins dix secondes. – A vous monsieur.

Mégasheriff compte les secondes.

MÉGASHERIFF : Lâchez les embarcations.

Sonneries. Téléscripteurs. Sur l'écran n° 3 Mégasheriff suit à la jumelle. Pendant que des membres d'état-major

s'affairent autour de lui, sur les écrans 1, 2, 4, 5, les secré-
taires aux communications se succèdent à un rythme
très rapide.

Écrans.
– Première vague – 1 minute de retard.
– Deuxième vague – à l'heure prévue.
– Troisième vague – 2 minutes 55 d'avance.
– Première ligne de résistance ennemie enlevée.
– Septième, huitième et neuvième vagues ont pris pied avec
  quelques secondes de retard.
– Le matériel lourd est débarqué sur les deux plages prévues,
  plage Rouge et plage Blanche.
– Cinq vagues d'hélicoptères ont touché le sol.
– Quinze mille hommes déjà à terre.
– Premier ponton mis en place – Débarquement du matériel
  lourd.
– Décalage général sur les prévisions.
– Plage Blanche n'a pas réussi à percer.
– Plage Rouge encombrement total – Impossible de bouger.

Tous les écrans s'éteignent et le n° 2 se rallume seul avec
l'amiral Pointu.

POINTU : Référence 20° latitude Nord 158° longitude Est.
Critique 1 : Manque de navires d'assaut et d'embarcations
de débarquement. Critique 2 : Défaut d'organisation sur
la plage.

THÉO : Merci.

L'écran n° 2 s'éteint.

MÉGASHERIFF : N'importe quoi !

QUADRATURE : Il ne faut jamais mésestimer l'ennemi.

MÉGASHERIFF : Nous le décorerons à l'issue de la manœuvre.

QUADRATURE : [Si elle réussit.]

64

MÉGASHERIFF : Plus encore si elle ne réussit pas.

QUADRATURE : Le général Bulldog ne va pas tarder.

Sur l'écran nº 4 apparaît Bulldog.

BULLDOG : Référence 11º latitude Nord 124º longitude Est [en transit]. Critique 1 : Manque de marines d'où impossibilité de faire tache d'huile.

QUADRATURE : Vous ne pensez pas plutôt que ce sont vos Vietcongs qui manquent. Nous avons tout essayé pour les détecter : les caméras à infrarouge, nos derniers capteurs électroniques, les radars à visée latérale qui ont l'avantage, sur la photographie, de donner des renseignements en temps réel.

THÉO : Ils ont dû se retirer à Merlin par la piste Hô Chi Minh.

Ils rient. Bulldog s'énerve.

BULLDOG : Comment voulez-vous qu'un combattant s'y reconnaisse au milieu d'un tel désastre de mots et d'appellations.

QUADRATURE : Les idées neuves ont toujours choqué les esprits rétrogrades, parmi lesquels je vois avec étonnement que vous vous obstinez à vous inscrire.

BULLDOG : Cette fois – c'est parfaitement clair.

MÉGASHERIFF : Bonne chance! [Bulldog!]

BULLDOG : Merci.

L'écran nº 4 s'éteint.

MÉGASHERIFF : Celui-là [aussi] il faudra le décorer. – Vous avez l'habitude des faits inflexibles et pas assez de gens aisément influençables. – Vous ne serez jamais un bon politicien [Quadrature].

QUADRATURE : Je trouve triste de décorer un Bulldog qui nous a toujours tiré dans les pattes.

MÉGASHERIFF : Une médaille désarme mieux qu'un obus. C'est sa seule utilité. Pour quoi d'autre l'aurait-on inventée?

Sur l'écran n° 5 apparaît Dave Crips.

DAVE : Ici Dave Crips – Référence 9.9.9.1. du groupe clandestin de l'opération. Le groupe a beaucoup souffert des derniers événements. – Que devons-nous faire ajourd'hui?

MÉGASHERIFF : [Encore un!] Vous rendre au Pentagone à l'issue de la manœuvre avec vos chefs de groupe.

L'écran n° 5 s'éteint.

QUADRATURE : Théo, vous avez entendu les critiques? Corrigez la manœuvre en conséquence – Lance d'Argent continue jusqu'à ce que toutes les critiques aient reçu satisfaction.

Écrans.
– Plage Rouge toujours bloquée.
– Plage Blanche, les marines ont réussi à percer.

QUADRATURE : Fermez la plage Rouge et concentrez tout sur plage Blanche.

Écrans.
– Aviation : tous les objectifs ont été atteints.
– Les voies de communication de Merlin peuvent être considérées comme anéanties.
– Soixante-cinq mille marines à terre.

THÉO : Je crois que nous tenons le bon bout.

QUADRATURE : Les fusées?

THÉO : J'appelle les silos Minutemen et Titan! – Rien.

QUADRATURE : Les hydrophones?

Sur l'écran n° 2 apparaît Pointu.

POINTU : J'apprends à l'instant même que le filet d'hydrophones placé au fond de la mer a repéré [à mille miles de distance] toutes les positions supposées des sous-marins soviétiques.

THÉO : Félicitations! – Vous avez entendu?

MÉGASHERIFF : Fantastique! Il va y avoir de l'infarctus du myocarde dans le parti républicain.

QUADRATURE : Les fusées?

Écrans.
– Silo Californie O. K.
– Montana O. K.
– Les deux Dakotas O. K.
– Wyoning et Missouri O. K.
– Kansas et Arkansas O. K.
– Ultra-secret! Ultra-secret!

THÉO : Dispositions prises – nous écoutons.

Écran.
Cerveaux électroniques de Virginie. – Nos calculateurs [par recoupement des échos] ont réussi à situer l'endroit de lancement des missiles – à préciser l'heure du lancement – à connaître le cap suivi par le missile – à pouvoir déterminer la vitesse – et enfin, à établir leur point d'impact.

> *Cri général « Hurrah! »*

MÉGASHERIFF : Nous sommes la première puissance du monde.

QUADRATURE : Nous ne craignons plus personne. – Envoyez immédiatement une commission d'études en Virginie.

MÉGASHERIFF : Un coup à remettre sur la selle tous les vieux pionniers du Texas dont il ne doit pourtant pas rester grand-chose – J'arrive tout de suite.

> *L'écran n° 3 s'éteint.*

QUADRATURE : Annoncez la fin de l'opération.

> *Sonneries. Mouvements lumineux sur les cartes.*

THÉO : Réunissez toutes les constatations. Convocation de tous les chefs de service.

Des cintres descendent les cinq rangées de téléviseurs.
L'amiral Pointu, La Congrégation, le général Bulldog,
Dave et Stanley entrent et se mettent au garde-à-vous.
De son côté Mégasheriff vient rejoindre Quadrature et
Théo. Derrière lui le Dr XXX suit avec cinq planches
à clous.

QUADRATURE : La preuve est maintenant faite. La mer [quel
que soit l'endroit au monde où se trouve notre flotte] nous
appartient. Notre stratégie consistera à occuper quelques
bases côtières adossées à la mer que nous pouvons renforcer,
appuyer – ravitailler. L'amiral Pointu a pu alimenter toute
l'opération en eau potable avec de l'eau amenée des Philippines [Il continuera d'ailleurs à le faire au Vietnam]. Cet
exemple minime sur le simple plan de l'intendance prouve
que toute possibilité de nouveaux Dien Bien Phu se trouve
exclue. Nous ne voulons plus conquérir, mais frapper.

MÉGASHERIFF : Une guerre révolutionnaire peut donc être
vaincue par une armée conventionnelle – appuyée sur la mer.

QUADRATURE : C'est la définition même de la nouvelle théorie
de la guerre antisubversive que vous venez de prononcer.

17

Changement de jeu et d'éclairages. Diction non réaliste.

MÉGASHERIFF : C'est pourquoi en récompense de vos loyaux services nous vous offrons une planche à clous sur laquelle j'ai apposé ma signature.

Il remet une planche à clous à Stanley.

STANLEY : Monsieur le président, qu'est-ce qu'un Vietcong?

MÉGASHERIFF : Un sous-alimenté!

POINTU : C'est Victor Charlie, V, comme Victor, C, comme Charlie. Ce sont nos services de transmissions qui l'ont inventé.

BULLDOG : Un Vietcong, c'est tout ce qui bouge. – Pan et pan!

QUADRATURE : Un Vietcong, c'est un Vietnamien mort.

STANLEY : Puisqu'il n'existe pas, [je refuse de porter l'uniforme contre lui.]

QUADRATURE : Refuser de porter l'uniforme, c'est devenir belliciste.

MÉGASHERIFF : En effet, jusqu'au radieux [et nécessaire] jour de paix, nous essaierons d'empêcher le conflit de s'étendre. Nous ne désirons pas que des milliers d'hommes meurent au combat [Asiatiques ou Américains]. Nous ne désirons pas dévaster ce que le peuple du Nord-Vietnam a construit avec son travail et ses sacrifices. Nous userons de notre force avec toute la modération et toute la sagesse que nous pourrons nous imposer, mais nous en userons.

Le ton monte.

QUADRATURE : A tous les postes! – Lancelot devient le Vietnam du Sud, Merlin le Vietnam du Nord, Modred la Chine, la plage Rouge le nord de Danang, la plage Blanche le sud des montagnes de marbre. La Ire escadre sera la VII. L'opération « Lance d'Argent » devient le jour J. moins 1 de l'escalade.

THÉO : Zéro heure – le jour J commence.

C'est maintenant un opéra avec chœur du Pentagone.

CHŒUR DU PENTAGONE :
    Alerte Rouge.

QUADRATURE :
    Les machines pensent.

CHŒUR DU PENTAGONE :
    Alerte Rouge.

QUADRATURE :
    Poussez les boutons pour demander
    aux ordinateurs
    d'extraire de leurs mémoires
    des situations.

CHŒUR DU PENTAGONE :
    La terre voyage en Supersabre
    En Thunderchiefs, en Skyraiders
    En bombardiers stratégiques, en Phantoms II.

MÉGASHERIFF :
    La terre voyage
    A 2 400 km/heure.

QUADRATURE :
    Extraire des situations.

THÉO :
    En simuler d'autres.

Dr XXX :
    Calculer les risques
    Que vont faire naître

Les décisions de Grand Sheriff.

CHŒUR DU PENTAGONE :
Alerte Rouge – Alerte Rouge
Les constellations ne sont plus
pour nous, qu'un gigantesque essaim
de lucioles pétrifiées dans leur vol.

BULLDOG :
Les voies du paradis
Sont toujours gardées
par les U. S. marines.

POINTU :
Tous les ponts de commandement
sont en position rouge.

THÉO :
Les manettes claquent
Vérification.

QUADRATURE :
Les manettes claquent
Confirmation.

CHŒUR DU PENTAGONE :
Voici les projecteurs radar
relayés par satellite Samos.

POINTU :
La Flotte en marche
sur toutes les cartes du monde.

BULLDOG [parlé] :
N'oubliez pas – Un marine
n'a le droit de rien donner
sauf l'aumône à la messe
à condition que ce soit
sous la supervision d'un officier.
[Chanté]
Un marine est un acte de foi
Projeté aux quatre coins de l'univers.

CHŒUR DU PENTAGONE :
Alerte Rouge – Les aviateurs

71

deviennent ce qu'on leur a inculqué.

STANLEY :
« Et les morts sous terre ne sont plus
que la balle dont le grain
fut donné aux oiseaux. »

CHŒUR DU PENTAGONE :
Alerte Rouge.

MÉGASHERIFF :
Les bases du monde entier
défilent sur nos murs
sur un mot [un simple mot]
du Solitaire de la Maison Blanche.

QUADRATURE :
L'Hyperhistoire commence là.

> *Il désigne le praticable avec la carte du Vietnam sur
> lequel ont pris place Hoa, Tang, Dinh, Luyen et Phuong.
> Renversement. Seuls restent éclairés ce groupe et Stanley
> avec sa planche à clous. Fin de l'opéra. Jeu et diction
> réalistes.*

STANLEY : Je connais toutes les difficultés qu'il y a à être
un faux Vietcong. Pouvez-vous me dire comment on peut
être, un vrai?

HOA : Aujourd'hui nous attendons Thu. [Il a demandé à
l'oncle Tang de nous réunir.]

STANLEY : Thu, qui est-ce?

TANG : [Un homme] qui se cachait dans un figuier parce
qu'il avait appartenu au Vietminh [durant la première
résistance].

PHUONG : Un jour est arrivé [ici] le commandant Dzuc et
il nous a fait tous sortir sur la place. [Parmi nous] il y avait
la femme de Thu et son nouveau-né. Et Dzuc a dit

DINH : « Quand on a la tigresse et son petit, on voit bientôt
arriver le mâle » et il a frappé [avec une tige en fer]. Au troi-

sième coup, la femme [et le fils de Thu] n'étaient plus des nôtres.

LUYEN : Thu a bondi hors du figuier et il a dit : « Me voici. »

HOA : Les soldats l'ont pris et l'ont jeté dans la maison communale. Devant le village assemblé le Dzuc a dit

PHUONG : Que ceux qui auraient des mauvaises pensées dans la tête regardent bien les mains de Thu.

DINH : Il imbibe chaque doigt de Thu avec de la résine, prend son briquet [et y met le feu].

PHUONG : Un doigt s'enflamme. Puis deux, puis trois. Au sixième – un cri!

TANG : En se mettant dans la maison communale, le Dzuc s'est mis dans un piège. Au cri de Thu, les javelots, les piques et les fourches sont sorties de toutes parts.

DINH : Le feu s'est éteint sur les doigts de Thu. Et les cadavres du Dzuc et des soldats ont jonché la pièce.

HOA : Il y a de cela cinq ans.

TANG : Les guerres [chez nous] sont toujours très longues.

PHUONG : Thu est revenu [clandestinement] et il a demandé à l'oncle Tang de nous réunir chez moi.

Thu s'approche du groupe.

THU : J'ai rencontré le Dzuc.

PHUONG : Ce n'est pas possible Thu.

THU : Il était dans un poste que nous avons attaqué à trente kilomètres d'ici. Les soldats au bout d'une demi-heure de combat se sont rendus – sauf le chef qui se cachait dans l'abri souterrain. Notre responsable a demandé : « Qui descend? »

LUYEN : Et tu as vu le Dzuc.

THU : Lorsque je lui ai demandé – tu me reconnais il m'a répondu – non!

PHUONG : Et qu'est-ce que tu lui as dit?

THU : Mes mains, tu t'en souviens? Je peux encore tenir un fusil mais ce n'est pas de fusil qu'il s'agit. Je ne vais pas tirer. Je vais t'enfoncer ce qu'il reste de mes dix doigts dans la gorge jusqu'à ce que tu meures.

PHUONG : Et Thu a enfoncé les dix doigts qu'il n'avait plus.

HOA : Et l'autre qui n'était pas le Dzuc l'est devenu à ce moment-là pour mourir.

Dave se rapproche de Stanley.

DAVE : C'est de la haine. La haine ne peut engendrer que la haine.

THU : C'est bien mon avis.

STANLEY : Il faut bien que quelqu'un arrête le premier. – Si vous répondez au fusil par le fusil, la seule raison qui subsiste [la seule morale] c'est celle du plus fort.

THU : Pour se comprendre il faut parler le même langage. Répondre avec un fusil à qui vous parle avec un fusil – c'est la seule façon de se faire comprendre.

DAVE : Nous ne pouvons pas vous suivre. – L'humanité serait condamnée à l'éternel recommencement de l'histoire.

STANLEY : Cette planche à clous – est-elle un signe de violence ou de non violence?

DINH : C'était ma façon de protester. Je n'osais protester davantage parce que j'avais peur d'attirer les représailles sur Yuan ma fille, [elle est à Poulo-Condor]. Mais à force d'enfoncer des clous, j'ai appris la persévérance. Juste ce qu'il fallait pour permettre à un réparateur de bicyclettes de rêver [avec ses seuls moyens] à la destruction des bombardiers nucléaires stationnés ici.

PHUONG : Dinh vient du Nord [Il n'a pas d'autel des ancêtres] il ne sait pas que la première planche à clous a été construite par Trong Truc, un paysan de chez nous [en 1860 selon les anciens]. Les Français l'ont fusillé. Avant de partir il a dit : « Tant qu'il poussera de l'herbe sur cette terre, il y aura toujours des hommes pour s'opposer aux envahisseurs. » Et les anciens ont retenu ses paroles.

STANLEY : Pourquoi chercher vos complicités chez les morts. C'est du côté des vivants qu'il faut regarder.

TANG : Vous êtes des humanitaires. Et les humanitaires [à leur façon] font partie des envahisseurs. [Nous] nous luttons, [vous] vous cherchez la bonne conscience. Et pour cela vous serez toujours prêts à tout piétiner.

THU : Chez nous celui qui se noie a tendance à attirer toute la famille dans l'élément qui l'a emporté. Alors on se noie dans une tasse ou même dans l'empreinte que le buffle laisse derrière lui. Ce qui est vrai pour un petit pays doit l'être aussi pour un grand.

PHUONG : Qu'est-ce que tu dis?

TANG : Ne vous laissez pas endormir – la guerre continue.

19

Pentagone. Quadrature réfléchit. Théo regarde les dépê-
ches qui tombent du téléscripteur. A un moment donné
il en détache une.

THÉO : Stanley Ross [c'est notre faux Vietcong]. Celui qui
a refusé de porter l'uniforme après « Lance d'Argent ».
Cinq ans de prison et 5 000 dollars d'amende. Il fait appel
en invoquant les décisions du tribunal de Nuremberg.

QUADRATURE : Irrecevable.

THÉO : La vie c'est quand même une curieuse dictature.

QUADRATURE : Cette Sophie Cunningham a librement choisi
son suicide – et il a librement choisi de se mettre en
marge de ses compatriotes.

THÉO : Non je pense plutôt que c'était leur rendez-vous à
Samarra – quelque chose d'inexplicable et d'imprévu qui
en pleine partie gagnée fait tilt et à partir de là – c'est foutu.

QUADRATURE : [Théo?] Incuberiez-vous une psychose?

Une sonnerie. Quadrature répond.

QUADRATURE : Oui venez – Théo! Vos réactions émotion-
nelles peuvent être entièrement différentes des miennes
mais si nous considérons [le même réseau de faits] sur les
bases de la raison [et non de l'émotion] nous ne pouvons être
très éloignés dans nos conclusions.

Dr XXX entre avec une bande magnétique qu'il engage
sur l'une des machines.

DR XXX : C'est prêt.

QUADRATURE : Nous allons l'essayer directement sur Saigon. — Donnez-moi la 11⁰ latitude Nord, 104⁰ longitude Est.

Sur l'écran apparaît l'ambassadeur Ventriloque.

QUADRATURE : Quelles nouvelles?

VENTRILOQUE : C'est au commandement militaire de vous les donner.

QUADRATURE : Les civils ont toujours eu la priorité chez moi. Écoutez donc.

Dr XXX met le magnétophone en marche. En sort une musique tantôt déprimante, tantôt terrifiante aspergée de lamentations et de gémissements.

QUADRATURE : Qu'en pensez-vous? – C'est un stratagème mis au point par les services psychologiques.

VENTRILOQUE : Intéressant.

Dr XXX : Chaque ratissage va être précédé par une pluie de tracts [roses pour les zones restées fidèles, gris pour les zones dites libérées]. Pendant le ratissage, les hélicoptères survoleront les villages et répandront cette musique pour impressionner l'ennemi.

VENTRILOQUE : Dites-donc, XXX, j'aurais besoin d'un renseignement.

Dr XXX : Oui.

VENTRILOQUE : Les manifestations d'aujourd'hui à Saigon n'auraient-elles pas été provoquées par vos services?

Dr XXX : Quelles manifestations?

VENTRILOQUE : Saigon est couvert d'affiches demandant le pouvoir pour Nguyen Van Troi – celui qui a voulu vous assassiner [Quadrature].

QUADRATURE : [Quel pouvoir?] Il a pourtant été fusillé en bonne et due forme – avec toutes les garanties de la légalité. [D'ailleurs lui-même plaidait coupable.] Je crois me souvenir que parmi ses derniers mots il y avait le regret cuisant de ne pas m'avoir estourbi.

Dr XXX : S'il est mort pourquoi le ressuscitent-ils?

VENTRILOQUE : La police sud-vietnamienne a posé la question à quatre suspects qui ont avoué. [De toute évidence ils n'ont rien à y voir.] Malheureusement, je n'arrive pas à savoir qui a monté la provocation. Les services psychologiques qui fonctionnent toujours comme à l'âge de pierre? L'armée? L'une des deux factions rivales du service de renseignements? La fausse mission économique qu'on vient de nous parachuter? Ou le commando du F. B. I. déguisé en comité d'assistance que nous a envoyé le président? Je ne pense pas que ce soient vos hommes, Quadrature, ce serait une mauvaise opération publicitaire.

QUADRATURE : Avez-vous interrogé vos services, Ventriloque? Vous devriez le faire.

Il coupe la communication. L'écran n° 2 s'éteint.

Dr XXX : Voulez-vous que je tire l'affaire au clair?

QUADRATURE : Votre musique est loin d'être parfaite [si j'en crois l'ambassadeur].

Dr XXX : Impertinence et compétence n'ont eu même à l'âge de pierre que des rapports purement accidentels. – Excusez-moi j'ai ma sixième [et dernière] conférence de la journée.

Il reprend sa bande et sort.

QUADRATURE : Théo [si vous étiez la Quadrature] et que vous rencontriez la Quadrature, que lui diriez-vous?

THÉO : [Chef ?] la psychose pentagonale [vous aussi?].

QUADRATURE : C'est justement parce que je la sens venir que je voudrais en être débarrassé [avant même d'avoir fait connaissance.]

THÉO : Je dirais – Quadrature, je te parle parce que je suis Quadrature et que tu n'as pas de meilleur ami que moi. – Ton système de raisonnement les fascine tous [dans ce putain de Pentagone,] mais il n'y a personne qui te comprenne.

QUADRATURE : [Sauf vous Théo.]

THÉO : [Merci] Il y a peu de temps encore le secrétaire de la Défense était une espèce de roi de France [avec des ducs fiers et arrogants] qui ne lui reconnaissaient allégeance qu'au moment du partage du budget. – Pour le reste, ils n'en faisaient qu'à leur guise. – Maintenant tout a changé. Tu as une drôle de tête depuis quelques jours. Mais les militaires ne commandent plus rien. Je [tu] les écoute – et tu fais ce que tu veux.

QUADRATURE : Ce serait juste s'il n'y avait pas le président. – Dès qu'il sent sa popularité baisser, il lance un gros os [que dis-je? des gigots entiers] aux casquettes du Pentagone. – Sautiller sur une seule jambe en poussant sa marelle tantôt dans une case, tantôt dans l'autre n'a jamais pu servir de base à un travail sérieux. Savez-vous comment a fini mon prédécesseur [au poste que j'occupe]? Grimpant tout nu le long des murs du Pentagone, s'accrochant d'une fenêtre à l'autre et criant « les Russes arrivent ». Il avait beau dire, faire, conseiller, suggérer, menacer. Aucun militaire ne l'écoutait – c'est cette frustration hideuse qui l'a enfourné dans le désespoir, aujourd'hui pour la première fois je le comprends.

THÉO : Vous n'êtes pas seulement l'un des hommes les plus puissants du monde [avec tous les tracas que cela entraîne] mais vous êtes aussi l'époux d'une femme charmante.

QUADRATURE : Et le père d'un agréable garçon. – Pourquoi me dites-vous cela?

THÉO : Je ne sais pas.

QUADRATURE : Vous savez fort bien.

THÉO : Non.

QUADRATURE : Appartenez-vous à l'un des organismes énumérés avec tant de faste par l'ambassadeur? Non? Alors parlez.

THÉO : Le bruit court que les militaires auraient fait ouvrir une enquête pour savoir si notre enthousiasme à défendre la stratégie globale ne serait pas la conséquence d'un énorme pot-de-vin que nous aurions touché.

QUADRATURE : Les militaires sont incapables de prêter à leur prochain autre chose que leurs propres sentiments. Mais il y a plus grave. Hier soir ma femme m'a fait part des angoisses de mon fils. Savez-vous ce qu'a dit mon fils? « Combien de temps ça demandera à papa pour prouver ton honnêteté. »

THÉO : [Je sais.]

QUADRATURE : Le bruit court-il aussi que j'ai pleuré?

THÉO : Oui.

QUADRATURE : Pour la première fois j'ai perdu mon contrôle [ce sera aussi la dernière]. Mais ce que vous me dites me donne à penser, soit que ma femme appartient au F. B. I. ce que je ne saurais admettre, soit que le F. B. I. a installé des récepteurs jusque dans ma chambre à coucher.

THÉO : Qu'un des hommes les plus puissants soit considéré comme un simple citoyen [et à ce titre contrôlé comme lui] est tout à l'honneur de nos institutions.

QUADRATURE : Nos institutions ont parfois un drôle de visage. De notre discussion je déduis – soit que vous avez appris ces bruits qui courent par la rumeur publique [ce qui reviendrait à dire que le F. B. I. n'est pas une police mais une officine de chantage ou de commérage] soit que vous faites partie vous-même du F. B. I. et que vous êtes ici non pour me seconder, mais pour m'espionner. Je ne vous demande aucune réponse car vous ne pouvez répondre que non.

THÉO : Monsieur le secrétaire, je suis votre ami.

QUADRATURE : Vous répondez de façon émotionnelle. Je ne puis enregistrer votre réponse. – Le doute doit être tranché de façon rationnelle [et non émotionnelle].

THÉO : Je m'y emploierai. – Bonsoir.

QUADRATURE : Je reste. [Je pense qu'il est utile de prendre la température au Vietnam parmi nos combattants.]

Théo sort.

QUADRATURE : Mademoiselle — pouvez-vous me relier à Danang.

Sur l'écran n⁰ 2 un soldat se profile.

QUADRATURE : Comment ça se passe chez vous?

SOLDAT : On est installé pour la garde de nuit. Matelas pneumatiques, couvertures, papier carbone dont nous nous enduisons contre les moustiques [c'est fou ce qu'on consomme comme papier carbone].

QUADRATURE : Ça renforce l'idée que c'est une guerre d'intellectuels.

SOLDAT : Pas tellement. – Tout à l'heure, je rêvais que je me passais les doigts dans les cheveux. Je me réveille, je vois que j'ai les mains croisées sur la poitrine. Sur ma tête, un serpent.

QUADRATURE : C'est comme en Corée les rats qui, la nuit, croquaient la moustache du capitaine Bouchanan.

SOLDAT : La guerre change moins vite que les modèles de fusil. – Ici il y a les cigales [tout le temps]. Pas la nuit. La nuit, elle est surtout faite pour les oiseaux. Ce ne sont pas des chanteurs comme chez moi en Georgie. Ce sont des espèces de coucous tristes. En Georgie, lorsque les oiseaux chantaient [comme eux] au coucher du soleil, c'était un présage de pluie.

QUADRATURE : Avec vos projecteurs sélectifs à la température, vous ne pouvez pas capter ce qui se passe dans un village [fût-ce les rêves de ses habitants.]

SOLDAT : La nuit, ils creusent des boyaux souterrains. Trois mois après, ils débouchent au milieu du camp et toute la garnison lève les bras.

QUADRATURE : Qu'est-ce que vous dites?

SOLDAT : Je parlais pour les camps avancés. Ils tiennent tant qu'ils n'ont pas atteint le quota. Le Vietcong n'attaque ou ne débouche dans le camp que lorsqu'il est sûr qu'au moins un tiers de la garnison est de son côté.

Sur l'écran n° 2, deux Vietnamiens apparaissent derrière le soldat et l'empoignent. D'un seul coup, l'écran tout en restant allumé est privé d'image.
Kit apparaît sur l'écran n° 1.

KIT : Que s'est-il passé?

QUADRATURE : Cette technique n'est pas encore au point. Elle devrait colorer différemment l'image selon qu'il s'agit d'une plaisanterie ou d'un cas grave. J'ai eu l'impression de participer à une attaque Vietcong. — Essayez de voir ce qu'il en est.

20

Soudain, de la machine sort le militant Tang. Il inspecte un instant les alentours puis fait signe à ceux qui sont encore à l'intérieur de la machine de sortir.
Le vieux Phuong et Luyen l'instituteur rejoignent Tang. Ils sont tous armés.

TANG : Normalement le poste de transmission doit être à l'heure qu'il est entre nos mains.

LUYEN : Une heure à attendre, c'est long.

PHUONG : Moi, chaque fois que je tire, j'ai l'impression que je fais naître un buffle. Si je vois pas l'ennemi tomber, il y a quelque chose qui me donne le sentiment qu'à l'endroit où la balle touche, il y a un buffle qui va sortir. Si bien que lorsque j'attends l'attaque, je suis entouré par un immense troupeau [et je me choisis les bêtes en pensée]. Je me dis celui-là et celui-là, et puis celui-là.

LUYEN : Tu devrais me donner ça pour mon Encyclopédie.

QUADRATURE : [Une Encyclopédie?]

TANG : Je voudrais participer à la lettre C.

QUADRATURE : Feriez-vous une guerre d'intellectuels [vous aussi]?

TANG : Comment peut-on commencer?

LUYEN : C'est un animal?

TANG : Un crapaud.

LUYEN : Lettre C – Crapaud.

PHUONG : Vous connaissez l'histoire de celui qui voulait intenter un procès à l'empereur de Jade à cause de la sécheresse?

Luyen lui fait signe de se taire.

TANG : On prend un crapaud. – On lui introduit une boulette de tabac dans la bouche et on l'attache aux barbelés qui défendent un camp ennemi. Le crapaud tousse. Les sentinelles tirent parce que sa toux est humaine. Ça peut durer longtemps. Des nuits entières parfois. Nous avons trois élevages de crapauds bien nourris. Plus ils sont gros plus la toux humaine semble proche. Plus l'ennemi s'affole.

LUYEN : A Chau ils ont apporté une participation à la lettre S.

PHUONG : Ça m'étonnerait qu'à Chau ils trouvent quelque chose. Ils ont dû le prendre ailleurs.

LUYEN : Pour Singe [vous n'avez rien]?

PHUONG : Pas encore.

LUYEN : Alors, notez! Prendre les singes les plus gros [quinze à vingt kilos] habillés et maquillés. Inscrire les slogans du Front sur leurs habits. Leur mettre sur la tête un visage d'Américain ou de marionnette et les lâcher dans les marchés. Les policiers n'ont que deux issues : l'odieux [en les abattant] ou le ridicule [en essayant de les attraper].

PHUONG : Qu'est-ce qui mange le rôti de singe après? [Les policiers.] Ça m'étonnerait que [venant de Chau] ce soit une bonne idée.

TANG : Lorsque les poursuites à singe s'engagent dans les marchés – les gens rient à gorge déployée. [C'est un résultat.]

PHUONG : Luyen – inscris ma participation pour la lettre A [Tu y es?]. Abeille [communication du camarade Phuong du village de Kien Cuong, district de Truong Ky]. Un ancien du village a décidé d'utiliser les habitudes des abeilles. Au début il s'est fait piquer une fois. – Deux fois [des cloques comme ça!]. Trois fois. J'ai dû rester couché deux jours avec la fièvre. Les abeilles ont compris. J'ai pu transporter leur nid là où je voulais [sans être attaqué.] Alors j'ai mis au point mon système d'embuscade. Des fils très fins sont placés sur le chemin de l'ennemi. En les heurtant on détruit le nid placé au bout du fil. – Et les abeilles attaquent. La première fois [lorsque sont venus les américano-diémistes] elles ont attaqué mais après elles ne se reconnaissaient plus entre elles. Depuis elles ont été dressées à poursuivre leur ennemi sur un [et même deux kilomètres] puis à revenir. Maintenant je prépare des embuscades qui combinent l'attaque des abeilles et les pièges à bambous. Mais ça, [Encyclopédie ou pas Encyclopédie,] je le garde pour moi.

TANG : [Voyons, Phuong.]

PHUONG : C'est tout vu.

Cri de coucou triste. Ly entre.

LY : Le poste de transmission a été pris. – L'heure de l'attaque est avancée [l'objectif reste le même]. Attaque de la batterie de 155 installée [sur le piton de Tan Uyen]. Il contrôle tout l'aérodrome.

TANG : En route.

Ils entrent dans la machine et disparaissent.
Quadrature va au téléphone et fait un numéro.

QUADRATURE : Allo! c'est Quadrature qui parle. – Je voudrais Théo. – Il n'est pas là? – Dites-lui, à peine est-il sur le pas de la porte, qu'il me rappelle d'extrême urgence.

Soudain la Châtaigne se déchaîne. Sur les écrans recommence la ronde des états-majors et des secrétariats, sauf sur l'écran n° 2 qui est resté allumé après l'enlèvement du soldat de Danang.

Écrans :
- Vingt et un bombardiers nucléaires B 57 anéantis à Kien Cuong.
- Vingt avions détruits.
- Hélicoptères – bilan des pertes à établir.
- Durée de l'opération : 1/4 d'heure.
- Charge des bombes contenues dans les avions prêts à partir ont beaucoup aidé l'ennemi en explosant.
- Tirs sur baraquements nous ont fait croire qu'il s'agissait d'une révolte.
- Avons anéanti l'unité sud-vietnamienne qui nous secondait.
- La batterie de 155 installée à Ta Uyen détruite par surprise.
- Aucune trace de Vietcong.
- Représailles sur le Vietnam-Nord demandées d'urgence.

QUADRATURE : Rien que de la seule base de Danang, un avion décolle et atterrit toutes les minutes que Dieu fait. – Comment voulez-vous faire plus?

Il éteint les écrans n°s 1, 3, 4, 5. Sur l'écran n° 2 apparaît Thu.

THU : Je ne sais pas à qui je m'adresse. – Mais avant que ce poste de communication ne saute, je voudrais dire quelque chose. Nous sommes de Kien Cuong. La base est installée sur des terres [les nôtres] dont on nous a dépossédés. Ils ont mis nos familles dans des hameaux stratégiques tout autour de la base pour leur servir de remparts. C'est grâce à ces remparts que nous avons pu pénétrer dans la base. Nos armes américaines sont très efficaces. Nos instructeurs sont d'ailleurs formés dans l'armée sud-vietnamienne, par les Américains. Une fois l'instruction reçue, ils désertent et viennent rejoindre nos rangs. A partir d'aujourd'hui tout Kien Cuong prend, par la force des choses, le maquis. Et maintenant mâchez du bétel, ça vous rafraîchira le cœur.

Bruit d'une explosion. L'écran n° 2 s'éteint.
Quadrature appelle de nouveau au téléphone.

QUADRATURE : XXX c'est vous? La machine est en train de se détraquer. Venez immédiatement. – Quoi?

La Châtaigne crache deux cercueils entourés du dra-peau américain.

QUADRATURE : Qu'est-ce que vous ne comprenez pas? – Elle vient de cracher deux cercueils. Il marche de long en large, puis s'adresse à Kit. Les images de la machine sont devenues envahissantes. Elles débordent de tous les côtés. Si elles continuent dans cette lancée, elles vont emprisonner le Pentagone avec nous à l'intérieur.

Dr XXX entre. Quadrature va vers les cercueils et les découvre en partie pour lire les noms qui y sont inscrits.

QUADRATURE : Jimmy Laverne Williams – 19 ans. – Vous connaissez? Jerry M. Stupeck - 22 ans. [C'est peut-être la sentinelle du poste de communications que la machine vient de reconvertir.]

Dr XXX : Ils doivent entrer dans la catégorie des morts clas-siques – ceux qui commandent à Saigon une voiture à prix réduit – pour en prendre livraison à leur retour. Avant d'avoir fini leur temps, ils sont déjà psychologiquement chez eux en Pennsylvanie ou dans le Dakota. Ils ne prennent plus les précautions nécessaires – et c'est ce qui les perd. –

Écran n° 4 s'éteint. Pendant ce temps Jerry M. Stupeck est sorti de son cercueil.

JERRY : Ce qui m'a perdu c'est quelque chose qui a tiré sur moi [un ensemble de pieds nus et de guenilles].

QUADRATURE : Voyons Jerry! Une guerre est une guerre. C'est tout à fait normal qu'il y ait des morts, des blessés et des héros.

JERRY : Le héros a [en tout et pour tout] construit un piège avec une caisse en bois et les élastiques qui servent à retenir le camouflage sur le casque et il a tué deux rats. Pour aller tuer ces deux rats au Vietnam, il a fallu :
– que mon père, navigateur en 1943 à bord des forteresses volantes, revienne nerveusement malade et buveur,
– qu'il rencontre ma mère Anna Jane, pendant une permission en 1944 alors que son fiancé venait de la laisser tomber,
– qu'ils se marient précipitamment huit jours avant son rappel,
– que je naisse à South Bend [Indiana],
– que je fasse des études à la High School,
– que j'y apprenne le base-ball et le patinage,
– que je rentre à l'Université de Chicago comme freshman
– que l'année d'après je décide de devenir ingénieur-architecte et qu'en conséquence j'aille à l'Université de Boulder [Colorado],
– que j'y passe une mauvaise année et que n'ayant pas obtenu les points-crédits suffisants, je sois amené à m'engager pour le Vietnam,
– que je mange 1 092 boîtes de corn flakes, 9 725 œufs, 5 950 hamburgers, 20 christmas pudding, 450 pots de sirop d'érable,
– que je boive 3 852 litres de lait, 2 125 bières, cinq hectolitres de jus de fruits, douze pintes de whisky,
– que je fume 1 260 paquets de cigarettes,
– que j'use 54 blue-jeans, 87 brosses à dents, 63 paires de chaussures, 172 paires de chaussettes, 3 gants de base-ball,
– que je mène à bout 2 884 danses,
– que je voie 1 112 films,
– que je subisse 14 400 heures de cours,
– que je lise 1 664 journaux et 205 livres en plus des livres de classe,

– que je franchisse l'océan Pacifique
tout cela pour tuer deux rats de rizière [et me faire
tuer le soir même].

Sur l'écran nº 3 apparaît Mégasheriff.

MÉGASHERIFF : Vous avez reçu la nouvelle de Kien Cuong?

QUADRATURE : Elle est déjà dépassée.

MÉGASHERIFF : Dépassée par quoi?

QUADRATURE : Par l'ensemble de la situation. Vous ne voyez
pas?

*Il invite Jerry à entrer dans le cercueil. Lorsque Jerry
y entre c'est Jim qui se lève.*

MÉGASHERIFF : Qu'est-ce que c'est?

Mégasheriff met ses lunettes.

Dr XXX : Jim! Jim Laverne Williams.

JIM : Mort au Vietnam. – Transféré à Wetumpka [Alabama]
pour y être enterré. La mairie de Wetumpka refuse parce
qu'un Noir n'a pas le droit d'être enterré avec les Blancs. Les
règlements municipaux l'interdisent.

MÉGASHERIFF : Et alors?

JIM : Et alors, j'attends.

MÉGASHERIFF : Nous ne pouvons être en cause. Quelles
que soient [les pertes subies par les Noirs] le Pentagone n'a
jamais fait le décompte par races – ni pour les morts, ni
pour les blessés.

MÉGASHERIFF : Trouvez-lui un coin tranquille dans un
cimetière national.

JIM : Merci.

*Il entre dans son cercueil. Les deux cercueils repartent
en sens inverse de leur venue.*

MÉGASHERIFF : Comment allez-vous répondre à l'agression qui a été commise contre notre aviation?

QUADRATURE : En continuant ce qui est prévu.

MÉGASHERIFF : Ce n'est pas suffisant. – Il faut bombarder Hanoi, les militaires l'exigent.

QUADRATURE : Les militaires n'ont rien à exiger.

MÉGASHERIFF : Nous bombarderons quand même.

QUADRATURE : Impossible.

MÉGASHERIFF : Les aviateurs sont lassés de viser huit fois de suite le même pont en bambou. Ils menacent de rentrer dans le civil.

QUADRATURE : Les menaces de centurions ne peuvent jouer que dans des systèmes politiques sous-développés.

MÉGASHERIFF : Alors c'est un civil qui l'ordonne. [C'est-à-dire moi.] Et c'est un civil qui va l'exécuter [c'est-à-dire, vous]. Je pars à Honolulu, à Manille et jusque dans la rizière [s'il le faut] Mégasheriff doit être présent partout. – Il le sera.

L'écran n⁰ 3 s'éteint.

Dr XXX : Ce n'est pourtant pas le moment de prendre les décisions de la Châtaigne [sur la marge à conserver à l'escalade] à contre-pied.

QUADRATURE : Je ne comprends pas ce retournement en faveur des militaires.

Dr XXX : J'ai essayé d'analyser les mécanismes de l'intellect présidentiel, mais vous savez combien il est risqué d'introduire les variables d'un individu tel que lui dans les équations hyperhistoriques. J'ai dû me rabattre sur la machine [du temps où elle se portait bien].

QUADRATURE : Qu'a-t-elle répondu?

Dr XXX : Par un personnage de Shakespeare.

QUADRATURE : [Hum!] Le président n'a avec la culture britannique que des rapports de la plus superbe distance.

Dr XXX : Il faut plutôt chercher l'explication dans l'énorme quantité de journaux qu'on fait avaler à la Châtaigne chaque jour. Il est maintenant rare qu'un journaliste parle du président sans faire une référence à Shakespeare.

QUADRATURE : [Le résultat ne peut être qu'approximatif.]

Dr XXX : Il est des approximations qui à force d'être assumées deviennent des évidences. D'ailleurs, le personnage de Shakespeare donné en réponse a toujours varié suivant la demande. Ainsi j'ai déjà obtenu Henry V, Macbeth, le roi Lear, Richard III.

Quadrature l'interrompt.

QUADRATURE : Vous avez perdu confiance?

Dr XXX : Oui.

QUADRATURE : Je le regrette pour vous.

Dr XXX : Dois-je vous offrir ma démission?

QUADRATURE : Je la refuserai.

22

Pendant ce temps, de nouveau de la sortent machine, Dinh, Phuong, Luyen, Ly, Tang, Hoa. Ils forment plusieurs groupes séparés [Dinh, Phuong, Tang, Ly et Hoa, Luyen seul. Chaque groupe a un transistor.

QUADRATURE : Excusez-moi. – Ça recommence. – La machine produit des images plus grandes que ses possibilités.

DR XXX : [En effet] Peut-être est-elle simplement en proie à un besoin de perfection. – Un désir de prouver quelque chose qui l'amène à mettre une espèce de loupe grossissante sur tout ce qui se passe. Nous allons voir.

DINH : [C'est bientôt l'heure des messages.]

PHUONG : Ce qui me fait enrager, c'est que je l'écoute moi aussi. Que vous le vouliez ou non, l'amour pour les Vietnamiens c'est devenu le transistor.

DINH : [Comment ceux qui sont séparés par le 17e parallèle] peuvent-ils se retrouver autrement?

PHUONG : Souvenez-vous de la constellation du Bouvier et de la Tisserande. Rien qu'en la regardant on disait cent fois plus de choses que Radio Libération et Radio Hanoi réunies.

TANG : Vous connaissez Lan de l'unité féminine de ravitaillement. – Si elle est encore célibataire c'est que depuis dix-sept ans elle est restée fidèle à quelqu'un [le reverra-t-elle?].

Hoa cherche une station sur son transistor et finit par trouver.

TRANSISTOR : Ici Radio Hanoi.

Elle pose le transistor entre Ly et elle. Les deux femmes écoutent une chanson qui sert d'introduction aux messages.

TRANSISTOR :
Je n'ai pas de papier
                    pour t'écrire
Je t'écris sur des lamelles
                    de bambou
Je n'ai pas de craie
                    pour y écrire
Je prendrai du manioc.

Voici quelques messages : De l'artilleur Van Trong. – Lo, mon fils lorsque tu es né, je ne t'ai vu qu'une seule fois [quand mon unité s'est regroupée en 1954 dans le Nord]. Il pleuvait ce jour-là. – Ta mère te tenait bébé dans ses bras et sur le quai d'embarquement nous nous protégions tous les trois sous la même toile de nylon. Garde bien cette toile [si tu l'as encore] elle sera notre prochain lieu de rencontre. Je vous embrasse tous les trois. – Papa.
De l'institutrice Lin. – Je n'ai qu'une vie. – Je ne vivrai qu'une seule fois avec une seule promesse, celle que je t'ai faite. Je suis chargée maintenant des cours de troisième année. – J'instruis les enfants de quatre villages. – Voilà mon travail. Même à distance nous sommes deux cœurs qui battent ensemble.

LY : J'avais seize ans, Phat dix-huit ans. Depuis il est allé rejoindre son unité. – Rien, jusqu'à la semaine dernière. – J'ai entendu son message [il ne m'était pas destiné].

Luyen écoute Radio Libération.

TRANSISTOR : Ici Radio Libération. – Dans quelques instants la suite de nos messages.

Indicatif musical.

De Dji-Ring. – Nous sommes libérés. – Notre enfant a

grandi derrière les barbelés du camp pour familles suspectes, il a douze ans, je lui parle de son père. Le temps de l'attente est mille fois plus long déjà que celui de la rencontre. Que de temps gâché. Nous t'embrassons.

De Saigon. – Je te donne des nouvelles de ta sœur [elle était suspectée par la police], elle est dans un village libéré maintenant. Ton cousin vient d'être arrêté. Il paraît que le mari de Huong a fait le sacrifice de sa vie. Si tu peux savoir où il est enterré, fais-le moi savoir par message. Notre famille a subi de grands malheurs, [mais pas plus que les autres.]

De Phom Tiet. – La belle-mère de Ngo a planté un arbre dans sa cour, le jour de la victoire en 1954. L'arbre a porté ses fruits. La grand-mère voudrait vivre assez longtemps pour revoir son petit-fils. Elle embrasse tous les soldats de la Libération qui passent par le village.

De Pleiku. – Chaque jour, je pense à toi. Chaque pas en avant, chaque bol de riz, chaque travail accompli, je pense à toi. Nous nous aimons, nous possédons un grand bonheur [le plus grand]. – Lo.

Dinh sort d'une enveloppe qu'il tire de sa veste une photographie et la montre à Phuong.

DINH : C'est ma fille. – Elle est née en 1945. – Dès son premier souffle jusqu'à présent elle n'a connu que la guerre. Maintenant elle est au bagne [à Poulo-Condor]. J'ai pas de nouvelles mais s'il y a une chose dont maintenant je suis sûr c'est qu'elle me reviendra.

RADIO HANOI : ... Mon fils. – Trois fêtes du Teth ont passé sans toi, et ton père n'est plus là. Pense toujours à lui. – Ici nous avons été bombardés une fois de plus. Le vieil oncle Bo a été brûlé, ainsi que les enfants de Duc, l'ami de ton père. La maison de tante Minh a été brûlée aussi. L'autel des ancêtres n'est plus qu'un tas de cendres. Combien je désirerais avoir ta photo. Le message est petit mais l'amour est grand.

HOA : Quand j'écoute Radio Hanoi, je pense [il l'écoute.] Lorsque la radio du Front annonce ce que nous faisons, je me dis [il l'écoute et il pense à moi].

Thu entre. Les transistors sont éteints l'un après l'autre.

THU : Les acteurs vont passer. Et comme après chaque séance, ils vous demandent de raconter vos rêves, autant se préparer pour leur faire bonne impression. Vous savez bien que d'après les rêves que vous racontez, ils ajoutent des scènes nouvelles à leur répertoire. – Donnons-leur un coup de main.

PHUONG : Il n'y a que les femmes qui ont des rêves.

HOA : Qu'est-ce que vous avez grand-père Phuong? La dent du tigre qui vous empêche de bien prononcer?

LUYEN : Il n'y a pas que les femmes.

23

Sonnerie de téléphone. Quadrature décroche.

QUADRATURE : Allo! C'est vous Théo? Venez d'urgence. Nous entrons dans une version erronée, mauvaise, [injuste] de l'hyperhistoire. Quoi? Objectivement, dites-vous? Objectivement la Châtaigne s'est transformée en officine de propagande Viet. Mais vous savez bien que voir les choses objectivement, c'est toujours s'arrêter à mi-chemin. *Quadrature passe le téléphone à XXX qui explique aussitôt à Théo :* « Je crois avoir deviné le mal. Il est question en ce moment de raconter des rêves, nous touchons à la psychanalyse. Peut-être nous trouvons-nous dans le cas troublant d'une mère électronique qui refuse son enfant et qui de ce fait le déteste. Alors elle donne de lui une image qui n'est pas conforme à la réalité. Une névrose, c'est cela. – La machine fait une névrose. – Quadrature venez vite. »

Quadrature raccroche. Luyen debout raconte son rêve.

LUYEN : Tous les enfants sont à l'école [les nôtres et ceux des hameaux environnants]. Ils sont là comme les trois malheurs et il n'y a aucune des trois nourritures symboliques pour les apaiser. La veille, les hélicoptères ont jeté des tracts sur les villages. – Ils n'osent pas atterrir pour nous haranguer. Leurs pick-up déversent des musiques épouvantables pour nous dire ce qui nous attend si nous continuons à refuser de nous laisser concentrer dans les hameaux stratégiques.

THU : Est-ce un rêve grand frère? – Es-tu bien sûr que c'est un rêve?

LUYEN : Oui – car demain ils reviendront. – Notre école sera dans un lieu bien découvert avec une grande pancarte et des drapeaux en papier représentant des lunes et des carpes comme à la fête de la mi-automne. Ainsi les navigateurs américains ne pourront pas se tromper. Et ils ne se tromperont pas. – D'abord des avions de reconnaissance jetteront des repères fumigènes pour bien marquer leur objectif. – Aussitôt la classe des grands rejoindra les abris [en ordre]. Mais la classe maternelle restera – soixante gosses de cinq à sept ans qui hurleront de peur, s'accrocheront à moi ou se cacheront sous les pupitres avec impossibilité de les déloger. Alors je hurlerai plus fort qu'eux : « Les roquettes vont tomber au milieu de la classe, jetez-vous sur les côtés. »

THU : Ces enfants, est-ce qu'ils ont habité ton rêve [grand frère]?

LUYEN : Ils l'habitent toujours [ils ne peuvent plus en sortir]. Les uns y dorment même – sûrs de ne plus être réveillés par aucun bombardement. – Les premières explosions ont lieu devant la porte. – J'entreprends d'évacuer les enfants trois par trois, par la fenêtre. Un, sur les épaules, et deux sous chaque bras. Je recommence. – Une fois. – Deux fois. Cinq fois. Neuf fois. Il y a déjà des morts et des blessés dans la classe – et la panique est à son comble.

PHUONG : On parle des douze déesses de la naissance devant lesquelles on brûle les animaux du calendrier.

LY : On parle des potagers dont les enfants s'occupent.

HOA : Des poissons qu'ils élèvent dans les mares.

PHUONG : Mais on ne parle pas des enfants brûlés. – C'est de mauvais goût.

LUYEN : Je suis blessé. – Je refais un voyage. – Je suis encore atteint par un éclat. – Je tombe et je crie à ceux qui restent encore dans l'école. – « Sortez par la fenêtre, n'ayez pas peur, je suis là – mais je suis blessé. » – Et ils disent : « Grand frère, nous ne pouvons passer par la fenêtre, nous sommes trop petits. » Après c'est le napalm et l'énorme silence du mois de mars lorsque les bruits du battage du paddy s'arrêtent [et que le ciel se couvre de la poussière jaune de la saison sèche.]

DINH : On ne peut plus construire de maison là où le feu est passé.

HOA : Les enfants brûlés, il faut les passer sous silence. Car ceux qui périssent par le feu donnent naissance aux esprits les plus destructeurs.

LUYEN : On les enterre au fond d'un cauchemar.

THU : En attendant que l'herbe repousse, car l'herbe finit toujours par repousser.

TANG : Cette nuit l'armée des chignons attaquera.

La lumière décline. Ils repartent dans la machine. Quadrature et Dr XXX examinent les différents endroits par lesquels ils s'en vont.

QUADRATURE : Pouvez-vous conclure mathématiquement.

Dr XXX : Ses analyses [du point de vue fonctionnement] n'ont pas changé. C'est je crois l'ombre de la Chine communiste qui s'épaissit.

Quadrature appelle Kit.

QUADRATURE : Mademoiselle. – Apportez-moi les œuvres de Mao Tsé-toung et de Ngo Dyen Giap.
– XXX vous savez quelque chose de précis sur cette armée des chignons?

Dr XXX : D'après nos renseignements, il s'agirait de certaines femmes qui, la nuit venue, se dissimulent avec des porte-voix autour des postes gardés par les soldats gouvernementaux. Le programme commence par des poèmes évoquant les souvenirs du village natal et se termine par cent mille désertions en moyenne, à la fin de l'année. Nous essayons de combattre leur action [en parachutant des jeux de l'oie] où tous les coups gagnants sont pour le Vietcong qui déserte.

Théo entre.

THÉO : Que se passe-t-il, chef ?

QUADRATURE : Nous allons être attaqués par l'armée des chignons – si j'ai bien compris.

THÉO : L'armée des chignons – qu'est-ce qui ne va pas, chef?

QUADRATURE : Les images du Vietnam sont prises de gigantisme.

Dr XXX : Elles nous entourent avec une persistance, un aplomb, une prétention...

QUADRATURE : Et en même temps quelque chose d'autre que je n'arrive pas à définir.

THÉO : Une image n'est après tout qu'une image.

QUADRATURE : Il ne s'agit pas de la voir en tant que telle, mais de déterminer ce qu'elle sous-entend [sa rationalité].

La secrétaire rentre et apporte les ouvrages demandés par Quadrature. – Quadrature en distribue quelques-uns à Théo et au Dr XXX.

THÉO : Qu'est-ce que c'est?

Dr XXX : Mao et Giap.

QUADRATURE : Aidez-moi à les dépouiller en fonction de la situation présente.

Les trois hommes se mettent à lire. A un moment donné, Dr XXX se lève et, livre en main, va de nouveau examiner la machine. Soudain il se fige. On entend venant de très loin « le dit de la jonque qui veille sur le Mékong ». S'il y a possibilité de recréer les différentes acrobaties des Vietcongs au combat avec les habitants du village de Kien Cuong, le dit de la Jonque se situera (avec les dits mouvements) après la venue de l'armée des chignons.

24

Pendant le dit, Hoa et Ly sortent de la machine et vien-
nent se mettre en place derrière la Quadrature et Théo.

LE DIT DE LA JONQUE
QUI VEILLE SUR LE MÉKONG

Rivages du Mékong.
      Veillez sur l'homme fraternel.
La lourde boule des morts, insatisfaits
tourne au-dessus du Mékong
attendant de s'émietter
               en grains de riz.
Les volets du monde sont clos.
Le sel manque.
Toute notre mémoire se rassemble
derrière le chant du coucou triste.
Notre futur quitte les tranchées
              il rentre de l'école.
Un amour perdu
        flotte sur les eaux.
Un amour à gagner crie
L'orage est dans vos forêts.
             Le village
natal a été rasé.
        Il
ne reste plus qu'un mirador aveugle
qui cherche à se souvenir
de ce qu'était la terre
           que des piques tendues
           vers le ciel.
Les gardiens du village
et les esprits du sol
         sont enfermés

dans les hameaux stratégiques
Sur le Mékong
               glissent
en radeaux serrés
les morts du dernier ratissage.

HOA : Phuoc! Phuoc! Ta cousine m'a dit que tu étais un homme bon. Je suis sa sœur.

Bruit d'armes automatiques.

HOA : Pourquoi tires-tu? Je n'ai pas d'armes. – Nous avons pensé que tes amis et toi devez vous sentir seuls dans votre uniforme. – Que vous deviez avoir le regard de ciel mouillé. – Alors, petite sœur Ly va chanter pour vous.

LY :
> Madame éléphante
> se promenait, enivrée
> par les pépiements de la forêt.
> En passant, son pied
> écrase une mère perdrix.
> Les petits crient affolés.
> Madame Éléphante
> sent alors les larmes
> lui mouiller les yeux.
> Moi aussi, je suis
> une bonne mère
> je vais vous réchauffer.
> Et avec ses quatre cents
> kilos d'amour maternel
> Elle s'assied sur le nid.

HOA : Phuoc! Phuoc! Ta cousine a de bonnes nouvelles pour toi. Ton petit Troï chasse déjà le serpent tout seul. A propos, [le village a été libéré.] Il y a un joli champ de paddy qui t'attend.

LY : Malheureusement ta femme ne peut pas le cultiver toute seule. Elle est triste, Phuoc. – Elle est triste parce qu'à force de te battre pour personne, elle pense que tu lui reviendras avec un grain de riz dans la bouche et un régime de bananes sur le ventre pour apaiser la faim des chiens célestes.

HOA : A bientôt Phuoc.

LY : A bientôt. – Salue bien tes amis. Nous les aimons tous.

L'armée des chignons se retire en musique.

QUADRATURE : Je l'ai toujours dit que c'est une guerre différente des autres.

THÉO : C'est comme les hameaux stratégiques – parfaits sur le papier [mais il y a toujours chez l'homme quelque chose qui s'insurge].

QUADRATURE : Vous délirez, Théo! La stratégie globale doit justement démontrer que l'homme ne peut plus s'insurger. – Vous avez trouvé quelque chose?

THÉO : Pas encore.

Il pose son livre et se lève.

THÉO : Et si la machine voulait se punir physiquement pour quelque faute qu'elle croit depuis longtemps avoir oubliée?

Dr XXX : Alors mettons-la en état de prédisposition à l'accident. En touchant le nerf sensible d'un événement quelconque, nous dérangerons tous les meurtriers en puissance qui y dorment.

QUADRATURE : Jamais. – Si elle lâche le flot de toutes les existences qu'on lui a fait ingurgiter, nous serons tous noyés.

Dr XXX : Peut-être est-ce beaucoup plus simple encore. – Des gens meurent psychologiquement chaque jour – comme les machines. Une certaine partie de leur être se fatigue et cette petite part de rebut s'efforce de tuer la personne entière.

QUADRATURE : En conséquence?

Dr XXX : Il faut réviser ses freins émotionnels, leur éclairage, leur batterie, leurs contacts avec la vie [et leurs réponses à la vie]. Allons-y.

Ils s'engouffrent tous trois dans la Châtaigne.

25

Apparaît Nguyen Van Troï. Les machines soit se mettent en marche vers lui, soit renvoient les images de lui. Elles sont seules à parler [deux voix masculines B et C, plus une voix féminine A] comme si elles traduisaient la voix collective des personnes du spectacle. Si le ballet mécanique présente trop de difficultés à l'exécution. Un Vietnamien de Kien Cuong dira toutes les répliques.

A : Nguyen Van Troï? [tu n'es pas prévu].

B : Tu es un mort officiel maintenant. Comment veux-tu qu'on pense à t'atteindre derrière la qualification posthume de héros du Sud-Vietnam et la médaille de « Bastion d'airain de la patrie ».

C : Les promotions de combattants qui ont entouré ton nom suffisent.

A : Et le bouquet déposé sur ta tombe au cimetière municipal de Saigon?

B : Et les baguettes d'encens qu'on vient brûler sous l'œil du policier de service qui lui, te considère toujours comme un appât [et surveille ceux qui viennent te rendre visite]?

C : Peut-être y a-t-il chez nous quelque chose de déjà jugé. Mais on t'aime Nguyen Van Troï. On t'aime comme on aime l'oxygène [on ne le sent pas, mais il permet de respirer] surtout dans le vide que laisse parfois l'absence de l'homme ici-bas.

A : Peut-être aussi à cause de ce costume blanc dans lequel tu as été fusillé.

C : Ça, c'est un symbole immédiat [l'innocence de tout un peuple portée sur tes épaules].

A : Nous savons qu'au dernier moment tu as essayé d'enlever le bandeau qu'on avait mis sur tes yeux, en disant : « Laissez-moi jusqu'au bout regarder cette terre. » Toutes

tes dernières paroles nous les connaissons. Nous pourrions presque les dire de mémoire.

C : Quand retentit l'ordre de te fusiller, ta voix monta, monta pour crier ce que crieront désormais tous les fusillés de la terre : « Vive le Vietnam. »

B : Tu es devenu un symbole.

C : Et les symboles personne n'y touche. Ils ont leur rotation personnelle. Certains y retrouvent leur zénith [ou l'heure de midi] jusqu'au moment où ils s'éloignent pour graviter dans la grande nuit de l'Histoire.

B : Nous ne pensions pas que tu ferais surface.

A : Tu es arrivé sur la pointe des pieds et tu t'es insinué dans cette salle, à travers cette pièce où tu n'étais pas prévu. Maintenant ça va être impossible de te déplacer.

B : Ce serait prendre le temps à rebours et te faire retourner dans cette prison de Cho-Quan d'où d'ailleurs [pour rester dans la logique des choses], tu sauterais encore une fois du deuxième étage les menottes aux mains.

A : Et tu te briserais la jambe sur l'asphalte.

B : Non maintenant que te voilà, tu restes.

C : La guerre que vous faites n'est pas une guerre comme les autres.

A : Tu es mort du côté de la Vie, tu y restes. Peut-être n'es-tu que de passage et vas-tu enfin rendre les visites d'usage aux différents membres de la famille de ta femme. Tu as été arrêté neuf jours après ton mariage [et tu n'as pas eu le temps de le faire]. Peut-être vas-tu en profiter pour faire un crochet par le Mont-de-Piété et dégager la bague qui t'avait permis d'acheter le fil nécessaire à l'agencement de la bombe de l'attentat.

C : Ne serais-tu pas en transit par le Venezuela?

B : Serrer la main de ceux qui enlevèrent un colonel américain pour servir d'échange contre ta vie.

C : Ils ne t'ont sauvé que pour quelques jours. Le président américain [une fois le colonel récupéré] t'envoya quand même à la mort. Peu importe, le Venezuela avait, ce jour-là, quadruplé ses kilomètres carrés de surface. C'est dans un Venezuela à la mesure des vrais hommes qui le peuplent que tu vas te rendre? Enfin – fais ce que tu veux. – Va, viens, passe. –

Si la construction dramatique est foutue [eh bien, elle sera foutue].

A : Si tu as besoin de serviettes chaudes pour enlever la fatigue de sur ton corps, les acteurs t'en apporteront. Ta femme n'est pas là.

B : Elle est quelque part dans les herbes à éléphants.

C : Elle l'a dit : « Cette voie qui fut tienne, Troï, je te promets de la suivre jusqu'au bout. »

B : Peut-être peut-on l'avertir que tu es là.

C : Tu lui tendras les bras pour l'accueillir.

A : Tu lui prendras les poignets et tu la feras asseoir à côté de toi sur un fauteuil, et elle enfouira sa tête dans le creux de ton épaule. Comme elle ne dira rien...

C : Les mots ont toujours été très difficiles à prononcer pour elle.

A : Alors tu lui caresseras doucement les cheveux pendant un long moment.

B : Peut-être évoquerez-vous cette vie ensemble que vous n'avez pas eue.

C : Fais ce que tu veux, nous on te laisse.

B : Nous devons continuer.

C : A bientôt Nguyen Van Troï.

A : Ou à tout à l'heure.

Les machines reviennent à leur position première. Nguyen Van Troï reste quelques instants à regarder le déroulement de la pièce, se fera donner des explications [à voix basse] par l'un des acteurs. Puis ira en coulisse avec un autre acteur qui veut lui montrer autre chose.

26

Quadrature, Théo et Dr XXX sortent de la machine, passablement endommagés.

QUADRATURE : Il est difficile [à travers ces connexions, ces circuits et ces rouages] de trouver un sens à cette guerre.

THÉO : Les faits et les chiffres sont certes utiles [très utiles] mais vous devriez faire parfois [lorsque c'est nécessaire] une petite place à l'instinct et aux sentiments.

QUADRATURE : Expliquez-vous!

THÉO : Mon instinct me dit que la situation est différente de celle des chiffres que nous obtenons.

QUADRATURE : Si j'ai bien compris vos paroles, vous allez trouver une place dans l'industrie privée dès aujourd'hui. – Au revoir Théo.

Théo met quelques instants à comprendre.
Quadrature reprend un des livres de Mao qu'il se remet à lire.
Théo explose.

THÉO : Rejeter sa responsabilité sur la machine, c'est en fait la jeter aux vents et la voir revenir portée par l'ouragan. N'oubliez pas « Ce qu'on utilise comme élément dans une machine est un élément de la machine » et pas seulement les machines électroniques, mais celles à oxygène et azote comme les chercheurs des laboratoires, les armées, les grandes associations. – Nous ne recevrons jamais de réponse juste à nos questions tant que nous ne poserons pas de questions justes.

QUADRATURE : Rectificatif : Vous n'avez aucune chance dans l'industrie privée. – Voyez plutôt l'Université de Berkley [Californie].

Théo s'en va. Quadrature continue sa lecture. Soudain il se lève.

QUADRATURE : Voilà. – Souen tse traitant de l'art militaire disait : « Connais ton adversaire et connais-toi [toi-même] et tu pourras sans risques livrer cent batailles. » Il parlait des deux parties belligérantes. – Ça ne vous dit rien?

Dr XXX : Non.

QUADRATURE : La bombe à hydrogène et la planche à clous.

Dr XXX : Et alors?

QUADRATURE : Et alors – Wei Tching sous la dynastie des Tang comprenait lui aussi l'erreur d'un examen unilatéral lorsqu'il disait : « Qui écoute les deux côtés aura l'esprit éclairé, qui n'écoute que d'un côté restera longtemps dans les ténèbres. » – Mademoiselle, donnez-moi le pénitencier de San Diego. – Le détenu Stanley Ross sur l'écran.

Dr XXX : Qui ça?

QUADRATURE : Le faux Vietcong [de manœuvre] qui a refusé de porter l'uniforme.

Dr XXX : Je ne comprends pas.

Quadrature cherche dans ses dossiers. Stanley apparaît sur l'écran nº 1.

QUADRATURE : Qu'avez-vous fait de la planche à clous?

STANLEY : Quelle planche à clous?

QUADRATURE : Celle que je vous ai remise. – Si vos souvenirs vous abandonnent, je puis vous aider. – Vous l'avez jetée dans la machine?

STANLEY : Non.

QUADRATURE : Une enquête est ouverte. – Nous la retrouverons.

STANLEY ; Bien.

112

QUADRATURE : Il faut que vous reconnaissiez avoir jeté la planche à clous dans la machine.

STANLEY : Non.

QUADRATURE : C'est absolument nécessaire.

STANLEY : Non.

QUADRATURE : Vous devez.

STANLEY : Non.

QUADRATURE : Votre intérêt [comme le nôtre] l'exige.

STANLEY : C'est pour des raisons sentimentales que j'en suis venu à prendre cette attitude.

QUADRATURE : Rien que pour cela, vous méritez deux fois la condamnation qui vous afflige.

STANLEY : Les raisons sentimentales me paraissent tout aussi valables que n'importe quelle autre. Il se trouve que mon refus s'inscrit dans un moment de l'histoire de mon pays et à ce titre je dois aller jusqu'au bout de mon choix.

QUADRATURE : J'accepte vos raisons à condition que vous reconnaissiez avoir mis la planche à clous dans la machine.

STANLEY : Reconnaissez-vous les décisions du tribunal de Nuremberg?

QUADRATURE : Ça suffit.

Il éteint l'écran.

QUADRATURE : Il est impensable que la machine se soit rebellée.

Dr XXX : Dans ce cas nous sommes dans la situation d'inventer la planche à clous même si nous ne la trouvons pas dans la machine.

QUADRATURE : Il faut qu'elle y soit – sinon nous donnons raison à tous les esprits rétrogrades, à tous les moralistes ignorantins qui depuis l'invention de la roue s'acharnent à démontrer que l'humanité va à sa perte. – C'est une attitude

113

grave contre le progrès qu'il s'agit de mettre en échec. –
Nous allons démonter la machine morceau par morceau. –
Mademoiselle, demandez à notre représentant à l'O. N. U.
de préparer une offensive de paix, le temps que la Châtaigne retrouve sa sérénité.

*Ils se mettent à démonter la Châtaigne morceau par
morceau. A peine ont-ils commencé que le premier morceau se met à dégorger des pans entiers de phrases ingurgitées pendant que sur tout le reste de la machine apparaissent les traits d'un personnage en rapport avec les phrases
dégorgées. C'est un paysan nord-vietnamien qui démarre
cette partie de kaléidoscope géant.*

MORCEAU PAYSAN : Une noix de coco qui germe est plus
forte qu'une bombe.

QUADRATURE : Imbécile.

Dr XXX : Chaque morceau va dégorger des pans entiers de
littérature qu'il a ingurgités.

QUADRATURE : Tant pis [il faut retrouver cette planche].

Un nouveau morceau est apporté. Sur le fond, un matelot.

MORCEAU MATELOT : Nous vivons dans le monde de la
couleur. Les mécaniciens sont verts, les servants, marron,
les pilotes, orange, les superviseurs, en damiers noirs et
blancs, les officiers du pont en jaune, les pourvoyeurs de
munitions, rouge foncé – les alimentateurs en carburant,
vermillon – les pousseurs d'avion, bleus – les pompiers,
gris amiante – les médecins, blancs avec croix rouge – c'est
la couleur qui catapulte vers le ciel.

QUADRATURE : Nous n'allons pas faire une revue de détail.
[Dépêchez-vous.]

Dr XXX : J'ai là un morceau résolument bouddhiste.

*Un nouveau morceau est détaché. Projection de bonze
sur le fond.*

114

MORCEAU BOUDDHISTE : D'un être humain qui se recroque-
ville des flammes sortent. – Sa tête se noircit et se carbonise. –
Thich Quang Duc se transforme en odeur de chair brûlée. –
Pas un muscle ne bouge. Pas un son. [L'impassibilité
contraste avec les lamentations de la foule.]

Dr XXX : Les informations ingurgitées à une certaine époque
ont dû laisser des traces profondes en elle.

QUADRATURE : Vous pensez que morceau par morceau elle
aurait reconstitué le Grand ou le Petit Véhicule? – Difficile.

Un autre morceau. Projection d'un autre bonze.

MORCEAU BONZE II : Sur son chemin dans l'autre monde,
un prêtre bouddhiste rencontre les responsabilités de ce
monde-ci [gong]. Certains se brûlent. – D'autres racontent
l'histoire du grand chambellan de l'empereur du ciel qui
fut transformé en buffle parce qu'il avait semé plus de
mauvaise herbe que de riz sur la terre. C'est pourquoi le
buffle avec son air de tristesse passe sa vie à regretter l'époque
où grand chancelier, il jouait aux échecs avec les courtisans.

Dr XXX : Nous sommes sur la pente du suicide de combat. –
Pourquoi ne pas décréter que la planche à clous se trouve
dans la machine – et arrêter l'opération.

QUADRATURE : Écoutez-moi bien. – Vous vous obstinez à
penser que si la planche à clous ne se trouve pas dans la
machine j'aurai commis une erreur. – Or, comme il est
exclu que je commette une erreur, je serai obligé dans ce
cas de vivre sur un mensonge. – Voyez-vous, XXX, un mensonge a une logique qui lui est propre. Pousser cette logique
jusqu'au bout, c'est faire du mensonge une vérité. Lorsque
Hanoi a été bombardé par nos avions, nous l'avons nié.
Tout le monde a protesté. – Nous avons nié encore. – Alors
on a commencé à penser que chaque vérité avait sa part de
mensonge [et chaque mensonge sa part de vérité.] L'ambassadeur d'un pays qu'il nous est difficile de considérer comme
ami, est allé jusqu'à admettre que les responsabilités étaient
partagées. Le bruit a commencé à courir que le Vietnam du

Nord n'était pas si blanc dans cette affaire – qu'il avait fort bien pu ajouter, aux dégâts faits par nos bombes, quelques tombereaux de mines, de façon à impressionner les visiteurs.

A partir de là, c'était gagné.

Ils se remettent au travail. Nouveau morceau avec projection d'un camionneur nord-vietnamien.

MORCEAU CAMIONNEUR : Abécédaire. – Bombe à l'eau = fumée noirâtre. – Bombe sur route = fumée jaune. – Bombe sur fer et sur béton = fumée blanche. – Bombe à retardement = membres d'enfants éparpillés sur le tableau noir.

Nouveau morceau. Projection de soldat sud-vietnamien.

MORCEAU SOLDAT : Soldat Tinh – enrôlé dans l'armée française, reste dans celle du Sud-Vietnam. Il apprend que son village va être regroupé. Il demande une permission pour aller voir son père [le vieux Ton] et lui donne un passe-droit qu'il a réussi à obtenir. Participe à l'opération dans un village voisin – quand il retourne au village natal, il apprend que son père s'est servi du passe-droit pour prévenir tous les habitants [qu'il est resté seul] et qu'il s'est fait tuer parce qu'il ne voulait pas lâcher le pilier de sa paillote qui brûlait.

Quadrature allume une cigarette et va s'asseoir sur l'un des morceaux.

Dr XXX : On arrête?

QUADRATURE : Non!

Nouveau morceau. Un chasseur des hauts plateaux.

MORCEAU CHASSEUR : Nous pensons que le propre de l'homme est de chanter et de danser. Un jeune homme qui n'a pas une belle voix aura du mal à se marier.

Un autre morceau. Photo d'un lieutenant U. S. Quadrature se lève.

MORCEAU LIEUTENANT : Second Lieutenant Henry H. Howe Junior a participé [en civil] à une marche contre la guerre à El Paso [Texas]. Arrêté, il est condamné à deux ans de travaux forcés.

Un autre morceau. Photo de Norman Morrison.

MORCEAU MORRISON : Norman Morrison, 31 ans, Baltimore, trois enfants – victime du devoir qui consiste à exprimer sa conviction à l'égard de tout ce qu'entreprend son pays. Surtout lorsque cette entreprise fabrique de la détresse, des morts, et de la souffrance. S'est présenté le 3 novembre 1965 devant le Pentagone au moment de la sortie des bureaux, a imbibé d'essence ses vêtements et y a mis le feu.

Dr XXX : Nous retrouvons la piste bouddhique.

QUADRATURE : Elle conduit tout droit au cauchemar.

La bande du ratissage passe. Ils prennent peur, puis se ressaisissent.

Dr XXX : C'est la bande de nos services pour les ratissages.

QUADRATURE : Pourquoi ressort-elle?

Dr XXX : La machine ne crache que ce qu'on lui a donné à avaler.

27

Les cinq Mégasheriffs entrent, l'un en tenue de personnage texan, les autres en tenue de personnages shakespeariens : Macbeth, le roi Lear, Richard III, Henri V. Ils s'installent sur les morceaux et forment ainsi une espèce de cour trônant sur les ruines.

QUADRATURE : Le cauchemar [nous vivons à l'endroit précis où l'histoire n'est déjà plus l'histoire – et où l'hyperhistoire ne l'est pas encore].

MÉGASHERIFF : Les États-Unis ont exercé le pouvoir, non pas dans l'arrogance mais dans l'angoisse. – Je cherche les Justes et je ne trouve que la matière inerte.

QUADRATURE : Le passage à l'hyperhistoire dépend d'une force d'inertie considérable, que nous sommes justement en train d'articuler. – Qu'envoyons-nous au Vietnam? Des étudiants bien notés? Des hommes à un degré quelconque utiles aux rouages du pays? Non – nous envoyons des économiquement faibles, des repris de justice, des temporairement incapables, des volontaires, des ratés et des nègres. Nous nous occupons d'eux, nous prévenons le moindre de leurs besoins, nous les protégeons, non seulement avec de farouches mercenaires mais aussi avec les produits de l'intelligence de tout le pays. Lorsqu'ils reviennent parmi nous [ce n'est pas seulement avec une voiture] mais avec une raison d'être aux États-Unis. – Ils ont fait la guerre. – Or, pour qu'il y ait la guerre, il faut un ennemi. Et lorsqu'un ennemi en rencontre un autre, il y a des pertes qualifiées en général « légères » ou « modérées ». Tuer abstraitement, proprement [sans aucune implication morbide ou sentimentale] est donc la base des occupations du département de la Défense. Car tuer ainsi, c'est qu'on le veuille ou non, créer l'avenir.

Malheureusement, la force d'inertie combattue au Vietnam repousse sous chaque casquette du Pentagone. [Ne pouvant contrecarrer, elle déborde.] Là où nous avons une guerre, ils en veulent trois. Là où nous bombardons un pont, ils mettent une ville. – Où trouver une entente possible.

RICHARD III : C'est comme l'histoire du vendeur enragé qui au moment d'enjamber le pont de Brooklyn est sauvé par un policier [En l'affaire de quelques minutes] il vend son idée au policier. – Et tous deux se jettent dans le vide. Ah! Ah!

QUADRATURE : Absolument pas! Les militaires rêvent d'hécatombes [désordonnées] dans l'espoir candide d'entrer dans l'Histoire – alors que l'Histoire est finie [et qu'avec la stratégie globale] nous entrons dans l'hyperhistoire. Ils confondent le tracé des villes à naître avec la cendre des campements levés – et ils ont pour vous le même regard méchant qu'on a pour le premier de classe, toujours prêt à répondre à toutes les questions. Malheureusement il existe encore [de nos jours et dans notre pays] un drame des novateurs – drame qui peut parfois se doubler par la tendance qu'a toujours eue la machine [en général] à réduire celui qui veut l'utiliser – en apprenti sorcier.

HENRI V : C'est comme l'histoire du colonel John Gould Doolittle et de son avion-mère. – Un avion-mère avec douze hommes à bord conduisant huit avions robots. – Quinze mois d'entraînement [une entente parfaite]. Et puis, voilà qu'en plein vol, un des avions robots se détache du groupe, fonce sur l'avion-mère, le mitraille et le descend en flammes – avec tous ceux qui le pensaient à l'intérieur.

QUADRATURE : C'est impossible. – Le passage à l'hyperhistoire ne serait plus dans ce cas que la route d'un exil définitif que nous essaierions d'ouvrir.

LEAR : C'est comme l'histoire de la vache de Mrs O Leary qui d'une ruade renversa la lampe qui provoqua l'incendie de Chicago. – Ah! Ah!

QUADRATURE : Doit-il nous rester [en équivalence] que le bruit angoissant de moteurs en pleine décélération? Ils semblent plébisciter un fret à transporter alors que ce fret est au-dessus d'eux comme une pierre tombale sur un corps qui a vécu.

MÉGASHERIFF : Comme le dit ce vieil ivrogne de Ventriloque – la victoire viendra le jour où le jeune Vietcong s'éveillera en disant « Aujourd'hui je ne marche pas » car en regardant autour de lui il aura compris tout à coup les chances de son beau pays, il aura vu l'aide américaine apporter aux villageois un toit de tôle, un sol de ciment, un moniteur d'agriculture, un instituteur, un infirmier avec des pilules et des vaccins. Et il dira je ne marche plus, parce que c'est rudement bien dans le camp d'en face.

RICHARD III : C'est comme l'histoire du touriste de la Géorgie Robert Moore qui télégraphie à sa demi-sœur d'Atlanta « Chicago brûle, la ville entière est en flammes – Dieu soit loué! »

Dr XXX revient avec une des planches à clous qu'il a trouvée dans ses services et, après hésitation, la donne à Mégasheriff qui la prend comme s'il s'agissait de son sceptre devant l'Histoire.

MACBETH : La violence renouvelle : elle fait éclater la malle à songes sur laquelle l'homme s'endort. Elle l'oblige à inventer.

QUADRATURE : Alors il faut taper [encore taper].

MÉGASHERIFF : Taper jusqu'à ce qu'il ne reste plus personne.

QUADRATURE : Jusqu'à ce qu'il ne reste plus personne.

MACBETH : C'est comme l'histoire de Bill Shakespeare. – Regardez, la forêt se met en marche. – La prophétie se réalise.

28

Couvert de branchages, le groupe de Kien Cuong se réunit pour manger.

TANG : Tu te souviens quand la seule médecine était la racine de bananier sauvage?

THU : Quand les meilleurs pansements étaient les feuilles de rau.

LY : Quand il n'y avait pas de sel pour donner du goût aux aliments.

HOA : Quand il n'y avait pas de vêtements pour donner au corps la chaleur.

LUYEN : Quand grand-père Trong nous accompagnait à l'attaque des bombardiers nucléaires avec son arbalète à tirer dans les coins.

DINH : Quand il n'y avait ni viande ni poisson.

HOA : [Tu t'en souviens?] On dira tout cela lorsque nous aurons la paix.

PHUONG : Pas la paix, non! [La victoire!]

TANG : Luyen, [je voudrais ajouter quelque chose à l'Encyclopédie] un animal aux poils verts [comme l'herbe à éléphants] difficile à capturer et qui lorsqu'il se met debout change la face du monde. A la lettre V [comme Vietnam.]

LUYEN : V comme Vietnam. C'est noté.

*Sur les morceaux éparpillés, les cinq Mégasheriffs conti-
nuent à trôner.*

MACBETH : La forêt est en marche.

QUADRATURE : Qu'est-ce que vous attendez?

LES CINQ MÉGASHERIFFS : Les élections.

QUADRATURE : Convoquez le Pentagone.

*Il arrache son masque avec colère pendant que des cintres
descendent les cinq rangées de téléviseurs.*

QUADRATURE : Messieurs du Pentagone, ce n'est plus la
Quadrature qui vous parle. C'est – un acteur parmi d'autres
[un homme parmi d'autres]. Mon rôle est fini, mais je n'en
reste pas moins enfermé dans les sept lettres qui forment
le mot VIETNAM. L'humanité entière fait aujourd'hui
partie de chacune de ses rizières, de chacune de ses jungles,
de chacun de ses hauts plateaux. Elle y va chaque soir [en
s'endormant]. Elle y va chaque matin [en se rendant au
travail]. Elle devient des noms qu'elle n'a pas l'habitude
de prononcer : Dong Hoi, Plei Ku, Vinh, Ban Me Thuot,
Ap Bac, Thu Dau Mot, Bien Hoa, Soc Trang.
Ce sont les hauts lieux de son espoir [et de sa mauvaise
conscience]. Car entre ces noms le sang coule. – Mort [sans
grâce] que la mort des autres, dans laquelle une partie de soi
meurt chaque fois. Sautant d'un jour du calendrier à l'autre,
escaladant la fête de Noël [ou celle du Thet,] voici maintenant
des années que nous croupissons dans ces rizières, sans le
geste qui libère, sans fusil qui libère, mordant notre impuis-
sance comme le bout d'un crayon lorsque la main ne par-

vient pas à écrire. Il y a des fusils qui apportent la mort au bout de la trajectoire de leurs balles [ce sont les vôtres]. Il y a des fusils qui, au bout de la trajectoire de leurs balles apportent l'espérance – Vietcong sera le nom de l'homme droit devant le soleil [dans notre langage]. La forêt est en marche. – Que la prophétie se réalise.

IMP. BUSSIÈRE, SAINT-AMAND (CHER).
D.L. 2ᵉ. TR. 1967. Nᵒ 1990 (368).